HAÏTI N'EXISTE PAS

Autrement**Frontières**

Collection dirigée par Henry Dougier

www.autrement.com

Illustration de couverture : © Alex Webb/Magnum Photos

© Éditions Autrement, Paris, 2004.

CHRISTOPHE WARGNY

HAÏTI N'EXISTE PAS

1804-2004 : deux cents ans de solitude

Éditions Autrement**Frontières**

À la petite marchande de charbon de bois de la rue du Canapé-Vert.

Une persistance à mal se conduire ou une impuissance qui aboutit à un relâchement général propre à une nation civilisée peuvent rendre nécessaire à la fin, en Amérique comme ailleurs, l'intervention de quelque nation civilisée.

Theodore Roosevelt, président des États-Unis, 1903
Cité dans *Le Monde diplomatique*, mai 2003

Haïti n'a pas été, à proprement parler, une colonie française, mais nous avons depuis longtemps des relations amicales...

Jacques Chirac, président de la République française
Pointe-à-Pitre (Guadeloupe), 10 mars 2000

Et à salement parler ?

CHRONOLOGIE

1791 : révolte de Boukman contre les colons.
1793-1794 : abolition de l'esclavage par la Convention.
1802 : rétablissement de l'esclavage par Bonaparte, arrestation de Toussaint-Louverture.
1804 : indépendance de Saint-Domingue qui devient Haïti.
1825 : ordonnance de Charles X fixant l'indemnité due à la France.
1862 : reconnaissance d'Haïti par les États-Unis.
1883 : réforme agraire de Salomon.
1915-1934 : occupation américaine.
1957 : élection de François Duvalier.
1986 : chute de Jean-Claude Duvalier.
1990 : élection du père Aristide.
1991 : coup d'État militaire de Cédras.
1994 : intervention américaine et retour d'Aristide.
1996 : Préval succède à Aristide.
1997 : la démission du Premier ministre ouvre la « crise » institutionnelle.
2000 : victoires électorales controversées de *Lavalas*, Aristide est élu président.
2002 : premières manifestations de rue anti-*Lavalas*.
2004 : bicentenaire d'Haïti.

AVANT-PROPOS

Haïti a connu une décennie d'intense espoir. Plus souvent contrarié qu'en marche. Avec des hauts et des bas, l'espoir pourtant prévalait de 1986 à 1996. De la chute de la famille Duvalier à la fin du premier mandat du père Aristide. Malgré les coups d'État et leurs conséquences désastreuses, une lumière brillait au bout d'un chemin mal balisé et semé de pièges. Mais pas un chemin de croix. La lumière s'appelait *Lavalas*. À partir de 1996, la lueur s'est faite intermittente. La première année du XXIe siècle, quelques éclats servaient encore de boussole. Et puis, les repères se sont brouillés. Le pays a paru rentrer dans la nuit de la désespérance.

L'élection puis l'accession au pouvoir d'Aristide (décembre 1990-février 1991) ont marqué le sommet de cette espérance. Je me réjouis d'avoir souhaité avec tant d'autres l'avènement de la démocratie, la marche vers plus de justice et la satisfaction à terme du droit le plus élémentaire de chaque être humain : manger.

Jean-Bertrand Aristide, *Titid* pour presque tous, personnage hors du commun, parcours romanesque de miraculé, méritait bien un livre. Nous avons écrit ensemble cette autobiographie. À peine était-elle achevée[1] qu'une junte militaire, encouragée par les privilégiés, le chassait. Nous avons gardé le contact. Avec tant d'autres, je me suis engagé auprès du président légitime.

---

1. *Tout homme est un homme*, Paris, Seuil, 1992.

En 1993, j'ai rejoint *Titid* à Washington, et suis resté à son service jusqu'en 1996. À mi-chemin, la junte militaire chassée, nous étions de retour à Port-au-Prince. Dans un contexte politique différent, dans une Haïti saignante, après trois ans d'arbitraire et d'embargo, allait-on enfin construire ?

Cela ne dépendait pas seulement des Haïtiens. Ceux qui avaient interrompu un processus démocratique étaient aussi ceux qui ramenaient le président élu. De cela, j'ai été un témoin privilégié. Avec d'autres. Avec Pierre Mouterde, journaliste spécialisé dans les questions latino-américaines, puis sociologue au service du cabinet présidentiel, nous avons publié un essai, en 1996.

Aprè bal, tanbou lou, cinq ans de duplicité américaine en Haïti (1991-1996)[2] mettait en évidence le rôle central des États-Unis dans la « crise » haïtienne. Et celui de la communauté internationale. Comme si Haïti ne s'appartenait pas. Comme si son destin se dessinait et se décidait ailleurs.

Nous avions tenté, de manière aussi rigoureuse que possible, de démêler l'écheveau complexe des doubles jeux – celui de la CIA et des autres centres de pouvoir américains, celui des officiels et des organismes internationaux, de la France, du Vatican ou des cartels de la drogue –, mais aussi les enjeux économiques et stratégiques.

Malgré le climat de détente internationale, les facteurs exogènes restaient déterminants dans l'avenir d'Haïti. Comme si se perpétuait une longue histoire de dépendance. Le processus de démocratisation se heurtait aux pressions multiformes des États-Unis. Sur fond de dénuement et de violence, nous mesurions au quotidien le décalage entre discours des droits de l'homme et déstabilisation sournoise. J'ai tenté, au long des dix dernières années de l'exprimer ici et là, notamment dans *Le Monde diplomatique*.

La culture politique haïtienne, un an après le retour du prêtre-président, nous paraissait de plus en plus inquiétante. Pas seulement à cause d'une élite écœurante, toujours prête à se vendre à l'étranger. « Ce serait, disions-nous, le sujet d'un autre livre, d'autres responsabilités à épingler. Y compris du côté du mouvement populaire[3]... » La rupture ne s'était jamais affranchie totalement du poids de l'histoire. Les pesanteurs internes sont

2. Paris, Vents d'ailleurs, 1996.
3. *Ibid.*

lourdes. Les mots y perdent parfois leur sens. On en vient à se demander si le pouvoir souhaite construire.

Analysant les pratiques alternatives de la gauche latino-américaine, Pierre Mouterde publiait, en 2002, *Quand l'utopie ne désarme pas*[4]. Consacrant un long chapitre à Haïti, il dressait le bilan d'un mouvement social dramatiquement désarmé. Pourquoi les uns sont-ils sans voix quand les autres persistent à exiger le droit à exister ? Comment comprendre l'échec des *ti-legliz* haïtiens, quand les peuples indigènes équatoriens ou les sans-terre brésiliens avancent ?

La contestation n'a guère de sens si elle ne prend pas appui sur une organisation puissante. D'autant plus structurée que l'environnement est hostile. D'autant plus démocratique que les habitudes locales sont brutales et autoritaires. En Haïti, écrit Pierre Mouterde en 2002, « le populisme manipule les couches populaires de manière à leur faire servir les appétits de pouvoir de quelque caudillo de passage [...] oubliant que c'est à travers des rapports non verticaux et non clientélistes, mais politiques et organisés horizontalement avec ses leaders, que le peuple peut prendre force, s'affirmer puis s'émanciper ».

« Les déçus d'Aristide », titrait *Le Monde* sur une pleine page le 31 janvier 2002. Avec en sous-titre : « À Haïti comme à Paris, Jean-Bertrand Aristide incarnait l'espoir d'une vie meilleure. Mais le prêtre des bidonvilles, devenu président, s'est métamorphosé, et ses anciens amis se repentent. » Ils ne se repentent pas, mais regrettent une dérive, celle d'Aristide, qui n'était prévue que par les habituels prophètes du lendemain, que le journaliste a d'ailleurs rencontrés.

J'ai voulu moi aussi comprendre comment, en quelques années, la promesse s'était faite impasse ou cauchemar ; comment un mouvement émancipateur s'était transformé en syndicat de caciques au service d'un dirigeant sans projet. Comment et pourquoi ? En remontant le cours du temps. En revisitant le passé, le présent et le futur antérieur. À l'occasion du bicentenaire oublié de la révolution et de l'indépendance d'Haïti, effacées ou désapprises.

---

4. Montréal, Écosociété, 2002.

Restent pour l'historien qui s'est fait acteur, même modeste, une blessure et une interpellation. Il y a d'abord cette rupture d'un homme, Aristide, avec un itinéraire, la dérive d'un porte-parole auquel le peuple entier s'identifiait. Mais c'est surtout le naufrage d'un projet collectif, ce grand bond en arrière, que j'ai cherché à appréhender.

C'est d'abord de cela qu'il s'agit. Seront déçus ceux qui espéreraient des « révélations » sur les relations étroites, confiantes et amicales qui étaient celles d'un président et d'un militant.

Il s'agit d'Haïti. Ni dans le questionnement ni dans les réponses esquissées, je ne vise à une quelconque exhaustivité. Pour quand cette entrée d'Haïti dans la modernité ? Autrement dit : quel devenir pour le pays ? Quels obstacles spécifiques ? Cette question, pathétique, taraude tous les amoureux d'Haïti. En appelle à tous les acteurs. Et à quelques autres.

Me dédicaçant son dernier roman, au titre opportun, *Les Enfants des héros*[5], Lyonel Trouillot a écrit : « À Christophe, qui connaît la difficulté d'aimer ce pays. »

Haïti n'existe pas. En choisissant de façon provocatrice le titre de l'ouvrage, j'ai voulu dénoncer ceux qui confisquent l'île ou maintiennent son peuple en quarantaine. J'ai voulu lancer à mon tour un avis de recherche, un SOS. Haïti, État, nation : j'ai eu beau triple-cliquer sur ces mots-clés, je n'ai pas trouvé de réponse. J'en suis venu à me demander si le pays existait.

Comment et pourquoi, née d'une indépendance glorieuse, Haïti, précurseur et pionnière, est-elle « affligée d'un surplace existentiel sur fond de cruelle inhumanité » ? Qui ne se retrouve dans la question de René Depestre, l'écrivain haïtien le plus connu, qui cite Spinoza dans *Le Nouvelliste*[6], principal quotidien haïtien : « Ni rire, ni pleurer, il faut comprendre » ?

Il se présente ainsi : « Je m'appelle René Depestre. Je suis un écrivain franco-haïtien peu connu dans son pays natal. » Il ajoute, en toute humilité : « Mon pays d'origine est un appel au secours. Je n'ai pas pour autant de leçon à lui donner. »

Moi non plus.

5. Arles, Actes Sud, 2002.
6. 21 novembre 2002.

Première partie
L'indépendance confisquée

Konstitisyon se papie
Baionet se fe
(La Constitution est en papier
Les baïonnettes sont en acier).

Proverbe haïtien

CHAPITRE 1. *ISOLA INCOGNITA*

Interpellez la rue, à Paris, à Washington, à Rio ou à Dakar. Pas plus que la Somalie ou le Liberia, Haïti n'existe. Interrogez les gazettes, rien. Juste quelques brèves, cachées ou étiques. Les périodes d'étiage peuvent se prolonger des mois. Vous devrez pêcher longtemps pour ne pas revenir bredouille ! Ou attendre patiemment, au pays des cyclones, la prochaine tempête politique ou sociale, cette profonde dépression que les services spécialisés n'annonceront qu'après coup. Peut-être les médias seront-ils au rendez-vous. Il y a des pays qui ne paraissent pas exister autrement.

Élargissez votre échantillon d'interviews. Ce ne sera pas le Pérou, mais vous obtiendrez deux, trois mots, tous connotés négativement : coup d'État, vaudou, misère, despotisme, violence... Obstinez-vous. *Via* la galaxie Gutenberg ou celle d'Internet, dépliez la géographie et remontez l'histoire. Le lumignon s'éclaire. Devient lanterne.

Haïti n'est pas en Afrique. Enfin, pas tout à fait. C'est bien ce morceau d'île, partagée aujourd'hui avec la Dominicanie, sur laquelle aborda Christophe Colomb et qu'il baptisa Hispaniola. Jean-Paul II en personne honora de sa présence et de son prêche, en 1992, le cinq centième anniversaire de sa découverte, qui coïncidait, pour le bien de tous, avec l'évangélisation des Amériques. Le souverain pontife nota bien, du balcon construit pour l'occasion, que le public avait, en cinq siècles, changé de couleur. La foi crée des miracles. Mais Jésus-Christ reste blanc, n'en déplaise aux peintres naïfs haïtiens...

Dans l'île coupée en deux par l'histoire et par les supporters de l'Évangile, il se garda de sortir de la partie orientale. Et ne reçut même pas les catholiques, prêtres et laïques, venus d'Haïti lui conter la dictature et le dénuement impitoyables qui sévissaient là-bas. Tyrannie, brutalité, misère. La junte militaire du général Cédras, au pouvoir, apparaissait si insupportable et anachronique, en cet an III de l'ère post-mur de Berlin, que la communauté internationale unanime se refusait à la reconnaître, à l'exception, notable, du plus petit des États, le Vatican.

La colonie de Saint-Domingue existe bien au XVIIIe siècle sur les registres d'armement des ports français de l'Atlantique. Mais l'Haïti indépendante en 1804 ? Elle apparaît laborieusement sur des cartes de géographie. Et même, à la surprise de beaucoup, sur les bancs de la Société monocolore des nations (la SDN, l'ancêtre de l'ONU) en 1919, petit mouton noir au sein d'un si prestigieux aréopage. Haïti figure toujours, à l'orée du XXIe siècle, sur la liste qui n'en finit pas de s'allonger, des États membres de l'Organisation des nations unies. D'autant qu'en une décennie l'ancienne Saint-Domingue se retrouve plus qu'à son tour dans les agendas et les interventions de l'ONU. Mais être sur les répertoires ou sur le registre de fléaux suffit-il à être ?

Libérée en 1804, la fille non désirée de la Révolution française est donc inscrite sur les tablettes. Reconnue en droit. Inconnue en fait. Oubliée. Ignorée. Ou sous tutelle. Qui se vanterait d'un enfant pareil ? Ni Jean-Paul II ni les autres – les chefs d'État descendant en ligne plus ou moins droite des inventeurs des droits de l'homme – ne participeront à son bicentenaire. Circonstance atténuante : comment placer sur un agenda l'anniversaire d'une naissance oubliée ? Quelle fête quand il n'y a rien à fêter ? En tout cas rien qui vaille, et pour le peuple des mornes et des bidonvilles, et pour les grands de ce monde. Pour une fois unis. Dans le silence.

Existe-t-il d'ailleurs en Haïti un peuple, une terre, une nation, des valeurs communes ? Une citoyenneté ? Non. Les concepts sont au mieux à accorder au pluriel, dans une histoire aussi singulière. Le mot « patrie » y sert souvent. De paravent ou d'exutoire. Non, deux siècles après Toussaint-Louverture, libérateur de l'île plus que des esclaves, Haïti est bien un pays en laisse. Ou une île qu'on laisse. *Laisser*, c'est quitter, dans le français de l'île. Abandonner.

Laisser Haïti, c'est le souhait de neuf Haïtiens sur dix. C'est ce que nous apprend un sondage continental, mesurant le degré d'attractivité des États-Unis. Haïti figure en tête. N'entrent donc ici que les étrangers, diplomates ou secouristes, porteurs de bonnes paroles, d'aide matérielle ou de promesses de salut. Et les voyeurs, espèce rarissime. Souvent amateurs de cet art naïf, pied de nez à une réalité obscène. Il est si présent et expressif, l'art haïtien, qu'existent quelques passionnés qui, de cette île, ne connaissent que cette subversion, cette fantasmagorie-là. Malraux ne l'a-t-il pas exprimé une fois pour toutes ? « L'Afrique a trouvé son génie de la couleur dans la chétive Haïti, dans elle seule. »

Visiteurs aussi, les premiers par le nombre : la diaspora. Ces Haïtiens qui reviennent au pays, situation ou fortune faite. Surtout ceux qui ont élu domicile hors de l'île, quand ils sont sûrs de pouvoir venir... et aller. *Laisser* de nouveau.

Pourtant, à parcourir le dernier guide touristique, publié par Gallimard, précis, superbe et généreusement illustré, on embarquerait volontiers pour la « Perle des Antilles », appellation d'Haïti au XVIIIe siècle. Mais sur place, de touristes, point ! Sinon les expatriés de passage. Un guide aux couleurs caraïbes, qui donne à lire, à voir et même à penser, pour un pays que les touristes boudent. Cette catégorie ne se hasarde pas. Préfère Cuba ou la Dominicanie.

Drôle de fonction pour un guide touristique, destiné à n'avoir pas de clients ! Guide réel d'un pays virtuel ? Ou l'inverse ? Belle illustration d'une terre qui balance entre fiction et réalité.

Le Club Méditerranée a cessé de fonctionner il y a si longtemps ! Parfois quelques Blancs, en villégiature en Dominicanie, poussent, toutes vitres fermées et sans s'arrêter en chemin, jusqu'à la citadelle du roi Christophe, décrétée par l'Unesco patrimoine de l'humanité et forteresse la plus impressionnante de la Caraïbe. Aller-retour accompli dans la journée, dans la limite des heures d'ouverture du poste-frontière de Ouamaminthe, qui enjambe la rivière Massacre. Massacre d'Haïtiens. Par les Dominicains. Une tradition ancrée depuis longtemps : un Haïtien n'est rien. Rien qu'une paire de bras bons à couper la canne.

Autres visiteurs pour qui Haïti n'a pas même de nom : les escouades court vêtues qui débarquent parfois d'un bateau de croisière caraïbe sur l'une des plus belles plages de l'île : Labadie. On a laissé franchir les barbelés qui enserrent la zone à quelques vendeurs de coquillages et de rafraîchissements, qui parlent une langue que personne ne comprend. Une aventure de quelques heures pour ces promeneurs de la mer. Ils jouissent du sable blanc d'une plage sauvage, sur une terre sans nom. Frissonnent avant de regagner à bord leurs chaises longues.

L'aventure s'arrête là. Haïti n'est pas « terre d'aventure » pour les étrangers. Encore moins pour les îliens. Aucune agence ne la propose à son catalogue depuis des lustres. Haïti est une réalité pour les Haïtiens, une réputation pour les autres. Une image. La pire. Comme si ce pays inquiétait, dérangeait, embarrassait. Épouvantait. Comme si les informations, venues par bouffées parcimonieuses, dégradaient un peu plus une notation déjà calamiteuse. Haïti, le pays à la mauvaise réputation. Un pays pas même une île. Une petite moitié d'île précocement chauve. Grise et noire. La seule perle caraïbe qui fasse exception aux fantasmes des cohortes de migrants saisonniers venus du Nord.

Les Américains adorent les chiffres et classements, signes indiscutables de performances. *Time Magazine* classe Haïti parmi les dix pays les plus « misérables et dangereux » du monde. Les deux qualificatifs sont innocemment accolés. Haïti terre de tous les records ?

La mauvaise réputation ne remonte pas à la nuit des temps. Deux siècles, une aventure inédite : des esclaves, les premiers, se sont victorieusement révoltés contre les colons français, pourtant adossés à la première puissance mondiale de l'époque. L'histoire du monde, écrite par le vaincu, ou par ses pairs, fera payer très cher à David son éphémère victoire sur Goliath.

Aujourd'hui servent d'autres morceaux d'histoire, fantasmes ou réalités. À qui la faute si d'autres lieux communs s'inscrivent dans les têtes ? Haïti... pays de la loi de la jungle, même s'il n'y a pas plus de jungle que de loi. Bref, terre de violence. Rituelle, endémique, politique, crapuleuse. Vagues imprévisibles et successives de règlements de comptes, de pneus brûlés, de tortures, de meurtres, d'émotions et d'émeutes. Connaît-on de l'Haïti politique un seul mot ? *Tonton-macoute*, assurément. Perfection ou symbole d'arbitraire, de duplicité, de brutalité ou de sadisme.

Haïti... gouvernée de surcroît par des satrapes cyniques et vénaux, livrée à leurs sicaires, voilà pour le complément d'image. Quant aux oligarques et aux ploutocrates locaux, des Américains les ont même baptisés d'initiales qui leur sont restées : « MRE » pour *moraly repugnant elite*, élite moralement répugnante. Gangsters ayant châteaux sur parc. Capables de tout acheter. Assurés qu'ils sont que tout pouvoir qui veut durer finira par les servir ou les rejoindre.

Mais on a, dit-on, le régime qu'on mérite. Et le peuple d'en bas a lui-même bien mauvaise réputation : analphabète, revanchard, immature, mal portant, brutal, incendiaire, maléfique. Corrompu lui aussi.

Pis : à quelques exceptions près, il n'y a dans ce pays que des pauvres. Et parmi les pauvres, surtout des misérables, des gagne-petit, des sans-terre, des sans-abri, des crève-la-faim, des clochards et des vagabonds. Une écrasante majorité de gens à la marge ! Majoritaires, est-ce suffisant pour qu'ils constituent une société ? Ou pour qu'ils se placent délibérément hors la société ? Hors la loi, finalement. Nation sans loi ? Sans existence ?

Trois sur quatre vivent en dessous de cette pauvreté dite absolue. Moins d'un euro par jour. Quatre ou cinq fois moins qu'un chien de Floride ! Les mêmes humains, ou presque, sont aussi illettrés. Absolument injuste ? Ce n'est pas plus intolérable pour l'opulent voisin américain que pour la Banque mondiale ou pour la majorité des gouvernements haïtiens. Les pouilleux et les parias sont aujourd'hui plus que jamais les responsables de leur infortune. Le libéralisme triomphant ne cesse de nous le ressasser. La faute des pauvres est d'être pauvres. Les moins-que-rien, les ignobles, compris comme contraire de nobles, ne sont ni en vogue ni en odeur de sainteté.

On vit moins vieux en Haïti qu'ailleurs. On y meurt quinze ans plus tôt qu'en Dominicanie, sa voisine. La tuberculose, le paludisme et le sida détiennent tous les records des Amériques. Comme les naufrages en mer. Ou la malnutrition qui s'acharne sur les mêmes. On naît beaucoup. Près de cinq enfants par femme, mais un taux de mortalité infantile quinze fois supérieur à celui du Canada. Et plus de huit millions d'habitants sur un territoire qui n'en peut mais. À l'abandon. Nouveau record : la plus forte densité de patients et le plus faible encadrement médical du continent. Vraiment, un Haïtien ne coûte pas cher. Ne vaut pas cher, au sens du *Time Magazine* !

Quitter ? Partir est de plus en plus difficile. Les États de la région ne veulent plus d'Haïtiens. Les *boat people* aussi ont mauvaise réputation. La main-d'œuvre non qualifiée, noire et peut-être malade de surcroît, n'est pas la bienvenue outre Caraïbes. Et tant de cerveaux sont déjà partis au XXe siècle... Ceux-là restent mieux acceptés. La démographie galope quand la production marche à reculons. L'indigence s'étend. La désespérance aussi. Cette misère qui colle à la terre stérile d'Haïti, est-ce sa faute, est-ce son crime ? Celle des maîtres de la terre ? De la misérable terre d'Haïti ? Ou la faute de suzerains qui résident ailleurs ?

Le dernier régime militaire, post-duvaliériste, s'est achevé il y a dix ans (1991-1994). L'opinion publique internationale, et notamment américaine, contribua à son laborieux renversement. Trois ans qui laissèrent une économie exsangue. Le retour à l'« ordre démocratique » n'a pas auréolé le pays et ses dirigeants du succès qui leur referait une réputation toute neuve. Pas la moindre dorure nouvelle sur un blason fané !

Égoïsme, incompétence, arbitraire, concussion ? Parler de déficit de notoriété ou d'inefficacité paraît euphémique à tous les observateurs. Le crédit de l'homme clé ou de l'homme-orchestre de la décennie et demie écoulée paraît au plus bas. Jean-Bertrand Aristide, qui bénéficia d'un soutien quasi inégalé dans toute l'histoire d'Haïti, n'est plus qu'un prophète sans projet, un président en sursis, le souverain régnant sur un royaume d'ombres qu'il ne fait plus rêver et à qui il peine à faire peur.

La transition n'en finit pas d'enfiler le costume élimé de la continuité. Pour le pire. Les Haïtiens ont certes manié, plusieurs fois, le bulletin de vote. Dit leur colère en « remontant le béton ». Se sont même crus acteurs de leur propre histoire. Moment éphémère avant le retour au cauchemar. La réalité leur échappe, leur histoire aussi. Elle s'est écrite sans eux, elle se fait ailleurs. Romancée, oublieuse ou cynique. Quant à leur avenir... Un *no futur* consensuel ? La juste sanction pour un État failli, irrécupérable, comme le disait en 1994 le secrétaire d'État américain Warren Christoffer ?

Jamais l'état économique, social ou culturel de l'île, jamais le ressenti psychologique de ses habitants, pris collectivement, n'a autant ressemblé à un ressentiment définitif qui tourne au sauve-qui-peut général. Un état permanent de catastrophe. Une inexorable descente aux enfers, pour rester dans l'omniprésent registre religieux haïtien. Et, à l'extérieur, une image politique plus détestable que jamais.

Les médias occidentaux cherchent des mots nouveaux pour qualifier l'inqualifiable. Parce qu'ils les ont tous utilisés et usés, de part et d'autre de l'Atlantique Nord : « pauvreté généralisée, misère absolue, abandon, débandade, désespoir, délabrement, désolation, extrémité, incurie, cauchemar, pourrissement, naufrage, effondrement, chemin de croix, crucifixion, calvaire, chaos, apocalypse ». La presse est, depuis 2000, chiche en informations sur Haïti. Les rares reportages font pourtant assaut de sos et de métaphores, bibliques ou non.

Après quinze ans de « transition démocratique » et d'incohérence internationale, une partie de l'opinion regretterait presque la marionnette Jean-Claude Duvalier, chassée en 1986, et accueillie en France pour quelques jours qui durent toujours.

CHAPITRE 2. L'ÎLE NOIRE

Quatre heures de l'après-midi. Soleil de plomb ou averse tropicale, il est toujours luisant, le tarmac de l'aéroport international de Port-au-Prince. Luisant et tranquille. À part les carcasses qui rouillent à l'écart du macadam, les avions sont rares. Les employés aussi. Une des densités les plus faibles de l'île ! Quatre musiciens noirs vous souhaitent la bienvenue. Leur âge rappelle le Preservation Hall de New Orleans, leur accoutrement emprunte à l'Afrique caribéenne. Une notion floue et, apparaît-il, sans importance. Les gens importants, ici, ne se sentent pas africains. Ils ne connaissent, au masculin, que le complet veston pure laine, foncé et cravaté serré, à n'abandonner sous aucun prétexte. La jouissance augmente, paraît-il, quand la température extérieure et l'hygrométrie atteignent les sommets de l'été.

Passé les services d'immigration, vient la réception des bagages. Ou l'espoir de les récupérer. À la seconde, le monde change. Crier pour se faire entendre, se dégager d'une foule de porteurs, informateurs, serviteurs : comment se défendre, faire émerger ses valises, franchir la douane, dans cette cohue de ballots et de badauds incertains, dans la moiteur hurlante d'une grande salle de classe où nous serions deux ou trois cents, chacun à la recherche de son cartable et du surveillant qui vous donnera l'autorisation de sortie ? Un viatique qui ressemble à un billet d'entrée dans l'arène, côté acteurs ! Malheur à tous les agoraphobes ! La marée humaine s'épaissit à l'extérieur. Il faut la fendre, ne pas entendre toutes les voix qui implorent et les mains qui quémandent, visser le regard sur le porteur obligatoire, en espérant vos poignées de valises elles-mêmes bien vissées à ses mains. Ensuite, une voiture...

Guère le loisir de remarquer les trois flamboyants qui survivent malgré les détritus et les gaz d'échappement. La première impression qui va s'amplifiant à mesure que le taxi brinquebale vers le centre, c'est la foule. Pourquoi, partout, cette infinie submersion, ces interminables rubans de piétons de tous âges le long de rues sans trottoirs ? On le devine : les écoliers rentrent de l'école. Mais les autres ? Une impression d'errance...

C'était il y a quelques années. L'aéroport a été depuis vidé des importuns marchands du temple aéroportuaire, unique sortie de l'île pour qui en a les moyens. Et une presque autoroute bordée de palmiers lilliputiens, qui grandiront si le jardinier ne les oublie pas, vous mène sans crier gare au milieu des encombrements de la route de Delmas. En ajoutant le jardin pimpant, aménagé sur le Champ-de-Mars, face au Palais national, et quelques hectomètres de macadam de-ci de-là, on aura pratiquement bouclé l'addition des travaux d'urbanisme public réalisés en cinq ans. Pas tout à fait : une route luisante relie directement l'aéroport aux résidences huppées de Pétion-Ville : un cadeau de Taïwan !

Un aéroport plus accessible et un palais présidentiel toujours aussi blanc, sans taches et cadenassé : pour un peuple si nourri de symboles et de marche à pied, les priorités sont visibles ! D'autant qu'en cinq ans la capitale s'est accrue de plus de trois cent mille âmes mal nées. Autre addition : accroissement démographique plus exode rural signifient, pour 2003, soixante mille à cent mille nouveaux Portoprinciens. Comment connaître les chiffres ?

Ils parlent de toute façon moins que la ville-capitale. La ville ? Plutôt un agglomérat chaotique et inconstitué de quartiers désunis. Et démunis de tout. Sauf de ces infinies grappes humaines, inertes ou en mouvement. La grand-rue, avenue Jean-Jacques-Dessalines aujourd'hui, coupe le petit damier colonial, minuscule centre des affaires proche de la mer, aux deux douzaines de parallèles et de perpendiculaires, réceptacle de toutes les vomissures de l'homme et du ciel.

Les trottoirs existent encore ici, mangés par les échoppes des vendeurs qui grignotent aussi la rue. Les triporteurs des marchands de *tafia*, le rhum du pauvre, stationnent sur la chaussée, bousculés par les voltigeurs qui slalomeent entre les voitures, à la recherche d'acheteurs motorisés pour leurs boissons jaunes ou roses, mais fraîches.

Hormis quelques privilégiés, salariés réguliers du privé ou d'une fonction publique pléthorique ou inefficace, tout le monde tente de vendre quelque chose. La ville avait des marchés, elle n'est aujourd'hui qu'un marché. Continu, insistant, incessant. Obsédant. Les musiques des marchands de radio voisinent avec les brouettes des éplucheurs de ces bâtons de canne qu'on suce pour tromper la faim. Les clients sont rares, mais les vendeurs partout. Vendeuses surtout. Autour du marché de fer, à deux pas du gigantesque bidonville de Cité-Soleil, elles espèrent, dix ou douze heures durant, les quelques gourdes – la monnaie locale – nécessaires pour se procurer riz, patates, haricots, huile, charbon, régler le loyer qui se paie à la semaine, voire à la journée, ou rembourser l'usurier qui a avancé le prix de la marchandise. Et, les jours de chance, les matrones paieront, en retard, l'écolage, le prix de l'école. Parce que les enfants, ici, sont toujours l'affaire des femmes.

Piétons ou véhicules, on ne circule pas. Blocus quasi permanent. Les camionnettes de troisième main qui assurent les transports en commun crachent des fumées noires. L'oxyde de carbone s'ajoute à la poussière fécale qui fournit à elle seule la majorité des particules en suspension. Même en réparant les nids-de-poule des chaussées défoncées, la surface carrossable serait bien incapable d'absorber une circulation conçue pour trois cent mille habitants, quand ce chiffre a décuplé dans les trois dernières décennies. Une panne d'une de ces voitures hors d'âge, ou un amoncellement d'ordures, les *fatras*, vous bloque une rue ; un orage et ses déjections, un quartier entier.

Les égouts sont à ciel ouvert, excepté dans le centre historique (dépourvu de la moindre trace d'histoire). Rue Pavée ou rue des Grands-Magasins-de-l'État, les couvercles des rares adductions d'eau font défaut. Les riverains puisent directement et polluent avec leurs incertains récipients la seule eau peut-être potable. Ces trous sans fond deviennent pièges à voitures et s'ajoutent aux multiples traquenards. La nécessité de la débrouille individuelle, ici comme ailleurs, a annihilé tout sens du collectif. *Struggle for life*, chacun pour soi !

Le parc automobile, ce sont les épaves roulantes venues de Miami... qui voisinent avec les *tèt bèf*, véhicules flambant neufs tout-terrain tout-confort, venus aussi d'Amérique, sur d'autres navires pour d'autres convives. Chacun chez soi !

Un code de la route s'est imposé aux détenteurs de la licence (le permis de conduire), qui s'achète comme le reste. Priorité au plus lourd. Les gros Mack défoncés qui dévalent des carrières d'altitude, chargés de sable, se donnent tout juste la peine de klaxonner. Le piéton n'a pas plus de droit que le citoyen : il doit tenter de trouver un trottoir, un refuge, un abri que nul n'a prévu. L'urbanisme social va au bout de sa logique ségrégationniste : le va-nu-pieds n'existe pas. Il n'a que le devoir de se garer à temps. Ne doit jamais déranger. Se taire et se faire transparent.

On peut descendre plus bas dans la ville. Au raz de la mer. Immense cuvette dominée par des mornes qui frisent les deux mille mètres, l'agglomération fait coïncider altitude géographique et altitude sociale. *Nèg anwo, nèg anba*.

Hormis la zone portuaire fortement grillagée, d'infinis et d'insaisissables bidonvilles occupent le bord de mer. L'en bas. Dans la poussière ou dans la boue, c'est selon. Les quartiers, suprême sens de la dérision, s'appellent Brooklyn ou Manhattan. Le lacis de sentiers laisse parfois à peine le passage d'un humain. Les Haïtiens, par bonheur, ne sont guère épais. Des abris de parpaings, de toiles, de tôles, de cartons s'étendent sur des kilomètres. On y dort souvent par roulement, dans une odeur pestilentielle quand le vent du large fait défaut... Aussi peu de fontaines que de dispensaires. Les gigantesques *fatras* tiennent lieu de latrines publiques et entretiennent le « péril fécal ».

Les derniers arrivants, les *braceros*, y débarquent avec chèvres et cochons. Ils fuient la désolation rurale et apportent leur bien avec leur mode de vie, pour une insoutenable promiscuité. Si la science statistique a encore ici un sens, les trois quarts des habitants sont chômeurs. On espère seulement accéder un jour au meilleur quart. Sans pousser la naïveté ou l'insolence jusqu'à croire atteindre le salaire minimum légal. Légal, un mot qui fait sourire ensemble victimes et négriers. Légal, c'est déjà plus de deux dollars par jour !

Grâce aux immondices charriées par écoulement depuis les mornes ou renvoyées par la mer elle-même, la terre, à la façon d'un polder que nulle digue ne protège, avance. Les bidonvilles aussi, posés sur des *fatras* instables, puants, malsains. Gare aux grosses vagues et aux épidémies ! Des centaines d'habitacles jaillissent au petit matin, à Carrefour ou à la Saline, en équilibre sur une éponge. Se serrer en bord de mer ne suffit plus : les sans-logis partent à l'assaut des mornes les plus pentus, y découpent quelques mètres carrés. Avec vue imprenable sur une baie superbe. Sans eau, sans route, sans végétation, sans droits.

D'autres descendent, au risque de leur vie, dans les ravines, chenaux d'écoulement de pluies torrentielles rendues plus agressives par la déforestation généralisée. Les gueux se répandent ailleurs jusqu'aux portes des villas bourgeoises de Pétion-Ville. S'infiltrent et s'incrustent partout, colonisent le moindre recoin. Bordent les hauts murs. Profitent de l'ombre portée des barbelés et des tessons de bouteilles qui en décorent le faîte. Parfois de celle des manguiers, des citronniers, des flamboyants, des frangipaniers ou des eucalyptus. Les derniers arbres d'Haïti seront d'ornement. Bordant la piscine. Le frémissement des feuillages avant l'orage, le clapotis des gouttes sur l'eau privée : derniers bruits naturels dans un monde dénaturalisé, déshumanisé ?

Narguant vigiles et gardes armés, les indigents, déracinés, se répandent et colonisent les derniers espaces. Des cloportes, des vers, pensent ceux d'en haut à l'arrogance toute coloniale. Quelques chanceux finiront par entrer par la porte de service des grandes maisons, comme bonnes ou jardiniers, corvéables ou jetables à merci. Les techniciens de surface forment à Port-au-Prince le principal bataillon des actifs. Aussi pathétique que l'extrême précarité des laissés-pour-compte, l'indifférence des nantis illustre l'absence de la moindre référence commune. La piétaille, domestiques ou sans-travail, n'existe pas plus pour eux que le piéton pour le conducteur de *tèt bèf*. Pas de sentiment d'appartenance, même vague, à une même communauté ! Pas de nation, des castes !

On ne rencontre pas de police. Ou si peu. Pas de forces de l'ordre qui garantiraient le respect du droit. Elle existe, la police, mais souvent occupée ailleurs. Les plus forts ont la leur : devant les banques et les supermarchés, les villas et les stations-service, qui se sont multipliés depuis quelques années, prolifèrent les hommes en uniformes et en armes. Aussi privés que toutes les richesses d'Haïti. L'ordre privé, un secteur prometteur, compte cinq fois plus de mercenaires que l'ordre public de fonctionnaires. Quiétude de quelques enclaves, insécurité et délinquance partout. Et d'autant plus dans les zones où les humains prolifèrent, quand la promiscuité conduit à l'indignité, cette misère morale qui s'ajoute à l'incertitude matérielle absolue.

Dans la société coloniale existaient trois classes, rappelle en simplifiant l'amateur d'humour noir : les maîtres, les affranchis et les esclaves. Tout à changé depuis. Fondamentalement. Ne restent plus que deux classes : les maîtres et les esclaves.

S'affranchir, c'est souvent *laisser* le pays.

Quatre heures du matin, Port-au-Prince, Cité-Soleil, bidonville de près d'un demi-million de sujets, repu de nuit noire dans la moiteur de l'air lourd et humide des tropiques. La vie grouillante qu'aucun sommeil n'interrompt jamais se devine. Là-bas, derrière la lisière des *tap-taps*, pullulement autour de la puanteur des rigoles de terre où achèvent de pourrir, dans une forte odeur d'urine, mangues, papayes et résidus de canne.

La nuit est à Port-au-Prince moins obscène que le jour. La fée Électricité y fait rarement des miracles. La ville se dissimule donc. Sans le vouloir. À son zénith, le soleil y écrase les formes et les couleurs. Et la ville ne cache plus rien. Ne se cache pas longtemps. Ne peut plus. N'en peut plus. Obscur, le camp de concentration inquiète à peine. La nuit cache la nuit. La noirceur devient obscurité, la pesanteur presque débonnaire.

Oui, ça sent la nuit. Celle qui se vit ou se subit dans l'enfer de toutes ces vies qui respirent encore. Des portes claquent au loin, sur un proche chemin carrossable. Des corps gisent à même le sol, endormis sur cette terre grasse, gorgée de sueur et trempée de malheur. Elle exhale un goût d'huile rance et de charbon de bois. D'autres corps sont affalés sur des paillasses. D'autres encore, assis, attendent leur tour. Ou ont cédé leur place. Sommeil à tour de rôle. Des hommes paraissent attendre les premières lueurs pour reprendre où ils l'ont laissée la partie de dominos ou la brouette de fortune. D'une radio chuinte la musique *rasin*. Et d'une cahute de parpaings gris et de planches disjointes filtrent des rais de lumière où dansent des ombres, agrandies.

Un enfant crie. Pourquoi ? Les enfants ne crient pas en Haïti. On chuchote alentour. Rien de grave : des rats trop familiers. Des femmes s'affairent. Ici, les femmes s'affairent toujours, partout. Un mouvement perpétuel qui tente de pourvoir à l'impossible. On tire sur des pipes en terre dont les lueurs incandescentes répondent au scintillement des étoiles. Et aux lumières électriques qui éclairent au loin les jardins protégés de ceux d'en haut. Vont et viennent des effluves de tabac tiède et de café grillé qui se mélangent à l'odeur des gaz d'échappement. La mer a beau être proche, l'air est lourd.

Dans les dernières lueurs de la nuit, entouré des bougies des marchandes qui informent sur leur bric-à-brac, le *tap-tap* va partir. *Merci Miséricorde.* C'est son nom, celui qu'en lettres rouges il porte fièrement sur le fronton de sa galerie. Proclamé dans une langue que la majorité des passagers ne parle ni ne lit. *Merci Miséricorde* est l'une de ces camionnettes-autobus, criblées de couleurs, d'images et d'adages, dont les portières chantent les versets de la Bible ou disent l'Évangile. La tôle est tout éclaboussée de peintures dites naïves nous proposant des Cènes où des Jésus rompent des pains. Des madones implorent le Ciel, et des pêcheurs baignent leurs pieds dans des mers infestées d'animaux étranges. Le souffle de l'imaginaire donne à la « Perle des Antilles » une cruelle abondance.

Beau comme un camion, dit-on ailleurs par dérision. Même si la mécanique est exténuée, ici, les *tap-taps* le sont, reflet du génie de l'île, croisement de plusieurs mythologies, ravissement des yeux qui tranche avec la grisaille que l'aube découvre, mélange de poésie et d'espoir, promesse de dignité dans un pays de souffrance.

Merci Miséricorde a son itinéraire. Direction : Jérémie ou Port-de-Paix, qu'importe ? Il taille sa route, à grand renfort de klaxon, comme tous les *tap-taps* qui labourent en tous sens les mornes dénudés d'Haïti, secouant des passagers entassés, rudoyés, chavirés sur leurs banquettes de bois, victimes résignées d'un tangage permanent et d'un roulis rendu imprévisible par les espiègleries de la piste. Tout à la fois, on somnole, on parle, même quand la musique l'interdit, coincé entre hommes et ballots, les fesses meurtries, les jambes recroquevillées, la bouche asséchée par la poussière qu'aspire la machine. En espérant que le ciel reste bleu et que la nuée ne vous surprenne pas au bord d'un précipice ou dans une descente rendue incertaine par la surcharge du véhicule. L'orage, tout à l'heure, modèlera la poussière de l'instant en fondrières paralysantes.

De folles corniches surplombent des plages désertes. Des vagues rosissent le sable en poussant les débris des coquilles de lambis. Des anses piquetées de cocotiers, des îlots verts aux eaux transparentes, des pirogues, des oiseaux pleins de couleurs, presque des poissons d'aquarium : qui remarque ce littoral qu'ailleurs on s'arracherait à prix d'or ? Dans le *tap-tap*, on commenterait plus volontiers le passage d'une de ces vedettes rapides, venues de Colombie et chargées de poudre blanche, qui transitent si volontiers dans la discrète Haïti. Ou le lent cheminement de ces incertaines embarcations à grand-voile, chargées, elles aussi, de baluchons et d'humains, frères et sœurs d'infortune qui mettent le cap vers les Bahamas et la Floride. Munis d'un *passeport requin*.

Qu'on prenne de l'altitude, et les plants anarchiques de maïs et de café cèdent la place aux collines écrasées de soleil et lessivées par les pluies tropicales. Rien ne pousse. L'acharnement de bras abondants a préservé quelques replats cultivés. On a coupé jusqu'au dernier arbre. Le végétal est devenu charbon. Charbon de bois qui cuit la patate, les pâtes et le poisson.

Pas d'arbres, mais encore des humains. Des paysans à terre ingrate. Ou des paysans sans terre. Des familles à terre. Et des enfants sans costumes. Un enfant en costume est un enfant qui va à l'école. Des petits au ventre ballonné et aux pointes de cheveux roux. La marque de la malnutrition. *Timoun*, littéralement le « petit d'homme », est sacré ici, comme au bord des piscines de Pétion-Ville. Une femme propose pourtant sa gamine. Elle la céderait, espérant qu'elle mange ailleurs et que les autres mangent moins mal ici. Les *restaveks* sont des dizaines de milliers en Haïti. Petits serviteurs sans droits cédés à des familles plus riches. Plus ou moins esclaves que leur mère ? Ou que la populace qui peuple la capitale ? Que les *braceros* sans droits qui coupent la canne dominicaine ? Que ceux qui se vident de leur sang contre une poignée de dollars ? Moins chanceux que les *timoun* adoptés par les Occidentaux ?

La terre nourricière s'en est allée. Eux aussi partiront. Demain ou un autre jour, clients du *tap-tap* pour Port-au-Prince. Aller simple. Future diaspora. Chacun est en partance. En fuite ?

Merci Miséricorde arrive. Quand part *Christ bel espoir*. Une journée pour parcourir deux ou trois cents kilomètres ! Une rengaine flotte dans l'air. Elle vient d'ici et de très loin : *Mesi bondyé, mizè a fini pou nou, mizè a fini*. Un bon point pour les passagers : aujourd'hui n'a pas été pire qu'hier. L'espoir existerait-il ? Dans un futur pas trop lointain qu'on attend depuis des siècles ? À coups de symboles. Les dieux vaudous, chrétiens et d'ailleurs seraient-ils pour une fois au rendez-vous ?

Faut-il croire les *tap-taps* ? Même les humbles veulent vivre. Où ? Comment ? Un pari. Vivre malgré tout. Vivre. Parce qu'*à chaque jour suffit sa peine*, que *la lumière vient d'en haut* ou que *travailler sans faire d'économies, c'est charroyer de l'eau dans un panier de bambou*. Morceaux de catéchisme ou paroles profanes, c'est écrit en toutes lettres sur les bienheureux *tap-taps*. Y a-t-il d'autre espoir que d'attendre en silence *le secours d'en haut*, en disant : *Merci aux invisibles*, *Gloire à Jéhovah* ou : *Oublie tout pour m'aimer* ?

Tout tan tèt pa koupé, li pa dezespere mete chapo, selon un proverbe créole. Tant que la tête n'est pas coupée, elle ne perd pas espoir de porter un chapeau. La dimension artistique, qui s'exprime tellement en Haïti, ne préserve pas du pire. Garde-t-elle à la détresse ce souffle ou ce filet de vie, d'incantation, d'humanité qui la préserve de la mort ? Reste-t-elle une psychothérapie ?

Survivre en attendant de vivre ? Les *tap-taps*, musées ambulants mais encore vivants d'une communauté, plus que des hommes qui la composent, sont le réceptacle d'une foi. Faut-il attendre les propositions des dieux ? Ou aller au-devant du destin, comme l'ont cru beaucoup dans les années 1980 ? Et beaucoup moins vingt ans plus tard ? La priorité aux pauvres, credo des années d'espoir, culmina avec l'émergence d'un prêtre-président, théologien de la libération. L'espoir du passage de la misère indigne à la pauvreté digne s'en est allé, remplacé par un mélange d'extrême fatalisme et de course à l'imaginaire – de préférence religieux. La piétaille n'attend-elle plus que Dieu ?

Pourquoi sont-ils pauvres, et même pire, ressassaient justement les théologiens de la libération ? Pourquoi ? Pourquoi la question paraît-elle aujourd'hui inutile, ennuyeuse, inconvenante ou dépassée ?

Le soleil luit pour tous, proclame une dernière camionnette. C'est encore moins sûr en Haïti qu'ailleurs. Et pour les *dé*shérités, *dé*placés, *dé*classés, *dé*laissés, demain s'annonce plus aléatoire qu'hier. Les *dé* sont pipés. Les recherches de l'antidote à la désolation marquent le pas. Paraissent tourner le dos à la raison. Resterait le marronnage ? Des velléités ou des réserves de résistance ? Où ? Comment ?

Haïti, un pays à qui on a volé son passé ? Haïti, un pays sans avenir ?

CHAPITRE 3. LA « PERLE » BRISÉE

1492. Haïti ne perçait pas encore sous l'île d'Hispaniola, que Christophe Colomb baptisa après un premier abordage aux Bahamas. Une île merveilleuse, une perle de verdure, dira l'illustre découvreur. La population indienne rapidement décimée, Saint-Domingue ne sert plus au XVIe siècle que de base arrière à l'Empire espagnol. Mal protégée des incursions des concurrents européens de l'Espagne, dépourvue de l'or qui abonde ailleurs, elle est quasi abandonnée. Existe à peine.

De ces richesses minérales qui, à la loterie mondiale des réserves géologiques, désignent quelques heureux, l'île devra se contenter des fantasmes récurrents qui perdurent encore dans l'imaginaire hypertrophié de l'Haïti contemporaine. Pas d'or. Aujourd'hui encore, rien qui vaille sous les mornes à nu de l'ancienne patrie des Indiens Arawak. Ni pierres précieuses ni pétrole.

Territoire abandonné aux boucaniers et aux flibustiers, l'île utile, presque réduite à Santo-Domingo, la capitale, et à quelques bandes littorales habitées, est vouée à l'élevage extensif des espèces animales importées d'Europe. Le littoral septentrional, et sa mythique île de la Tortue, attire corsaires et pirates. Ils se nourrissent de viande séchée – *boucanée.* Et plus sûrement de l'or des galions espagnols qui voguent au large, et de l'extension au Nouveau Monde des guerres européennes.

La Grande Antille, presque la superficie de l'Irlande, existe à peine, entre retraite et repère, Une étoile presque éteinte dans la flamboyante galaxie des empires ibériques de l'après-Renaissance.

Par le traité de Ryswick[1], le tiers occidental de Saint-Domingue devient français. Tout change. Se scelle le destin du pays. La nouvelle colonie n'a pas dix mille habitants. Blancs en majorité. En 1780, les chiffres, même incertains, proclament le bouleversement. Quatre cent cinquante mille esclaves, vingt-huit mille mulâtres et Noirs libres, à côté de trente mille hommes blancs. Des Blancs libres, plus que libres puisque maîtres de la liberté des autres. Le régime français est une réussite. Démographique ? Plus d'un demi-million d'habitants en un siècle ! On s'en moque. La réussite est économique, le triomphe financier. Des records inégalés en ce siècle des Lumières.

Étrange colonie sans peuple indigène : il y a longtemps que les Indiens Arawak ont disparu, on n'en trouve nulle trace sur les visages. Sur une terre à l'abandon, savanes et forêts désertées par les humains, les nouveaux immigrants importent entièrement un modèle de société. Les uns viennent d'Afrique, les autres de France. Ceux-ci s'inspirent de schémas européens, déjà anciens. Nulle part ailleurs on ne peuplera aussi vite un territoire. Mis à part la population résiduelle du début, les habitants viennent d'ailleurs. Les plus anciens « transportés » sont arrivés moins d'un siècle avant le grand chambardement qui suit 1789 comme une ombre décalée.

La « Perle des Antilles » est devenue *une île qui vaut un empire*, suivant l'adage d'alors. Elle alimente, à la veille de la Révolution française, le tiers du commerce extérieur français et fournit l'essentiel de la production mondiale de sucre. Sans parler de l'indigo et du café. Voltaire n'est ni le seul ni le premier à y investir quelques fonds.

Saint-Domingue, dernière venue dans la concurrence que se livrent les puissances européennes, n'est pourtant qu'une étape parmi d'autres du trafic triangulaire. Mais devient l'une des plus insatiables consommatrices d'esclaves. Étape majeure, profits magiques.

L'île, qui n'est pas seule productrice de café, d'indigo et surtout de sucre, profite de la demande de l'Occident, laquelle croît quand s'affaiblit justement la concurrence des autres producteurs. L'Amérique du Sud court prioritairement après l'or, délaissant les plantations. Les possessions

1. Qui mit fin à l'un des nombreux conflits pour le leadership européen, la « guerre de la ligue d'Augsbourg » (1697).

britanniques souffrent de l'usure de sols exploités antérieurement et des revendications autonomistes des colons. La contrebande y nuit à la métropole.

Une conjoncture favorable, une productivité exceptionnelle, une frénésie de profit à court terme des deux côtés de l'Atlantique servent donc une croissance de type exponentiel. Les fortunes, dans les années 1780, se bâtissent avec trois ou quatre récoltes de canne.

Un double cadre juridique et économique favorise un hyper-développement. L'*exclusif* d'abord. La colonie, colbertisme oblige, ne commerce qu'avec sa métropole. Une garantie pour les négociants rochelais ou nantais, qui peuvent ensuite réexporter. Avantage plus aléatoire pour les planteurs, à qui la concurrence permettrait de trouver vivres et intrants moins chers, notamment en Amérique du Nord. Les guerres et l'affaiblissement du pouvoir central au XVIIIe siècle encouragent en fait le commerce *interlope*.

Le Code noir, instauré en 1685, contemporain de la révocation de l'édit de Nantes, organise le non-droit de l'esclave. Texte monstrueux qui échappera complètement à la vigilance des Lumières, il considère le transporté comme une chose. « Bien meuble ». Bois d'ébène. Celui-ci ne requiert aucune protection et n'a d'autre valeur que marchande ou machinale. Comme outil de production, l'homme en servitude se déprécie avec le temps. Jamais le pouvoir central ne faillira dans l'application d'un texte d'une violence inouïe.

À l'abri d'une législation et d'une répression sans faille, les planteurs français maximalisent leur profit. Et restent des flibustiers qui privilégient le court terme. Aventuriers, nobles ruinés qui veulent se refaire, anciens militaires, investisseurs souhaitant une prompte multiplication du capital, ils ne s'installent pas dans la durée. Ne se sentent pas des gens d'ici, des Créoles. Souhaitent rentrer au plus vite, bourses arrondies ou dettes effacées, dans leur cher pays, la France.

Il y a des exceptions, mais Saint-Domingue n'est pour le plus grand nombre qu'un passage obligé, un moyen de lancer ou de relancer leur roue de la fortune. D'où la médiocrité de l'urbanisme et la rusticité culturelle de la société coloniale. La priorité absolue va au rapatriement quasi exclusif des bénéfices vers la métropole. Pas d'autres investissements durables que dans l'agriculture. Peu d'infrastructures, sinon les moyens d'administrer et d'exporter.

La capitale, Cap-Français, s'éveille à la vie culturelle urbaine à la fin du siècle. On peut tout juste y apprendre à lire et à écrire. À la différence du sudiste américain, le grand Blanc, propriétaire de plantation, *d'habitation*, se sent rarement attaché au pays et à son mode de vie. L'avenir de la société créole ne le préoccupe guère.

L'urgence du profit engendre, dans un environnement juridique idyllique, l'une des meilleures productivités au monde. Les esclaves travaillent seize heures par jour à la récolte et à la transformation de la canne. Un cycle qui ne connaît pas de pause. La récolte, à la différence d'autres plantes, s'étale dans le temps. La *roulaison*, de huit mois à l'origine, peut devenir ininterrompue. L'espérance de vie restante est, pour un Africain arrivé et vendu à Saint-Domingue, de plus en plus faible : quelques années. Les propriétaires ne misent pas sur la reproduction naturelle des esclaves, mais sur leur remplacement.

Une réalité inexorable pousse l'exploitation au-delà de la loi d'airain qui permet à l'exploité de reconstituer sa force de travail et de se reproduire, pour que se perpétue le système. Un système implacable et aveugle[2], qui détruit les paysages et appauvrit la terre à l'extrême dans les zones de plantations. L'expansion du café, dans la seconde moitié de ce siècle béni, étend aux mornes les conséquences d'une érosion qui aurait pu inquiéter de vrais sédentaires. L'épuisement des sols et la déforestation combinent leurs effets, donnant à la « Perle des Antilles » une longueur d'avance, en matière de déstabilisation écologique, sur d'autres colonies.

Dans les années qui précèdent la Révolution française, la mécanique s'emballe. La production de sucre de la seule Saint-Domingue dépasse celle de toutes les colonies européennes réunies. Les exportations de café bondissent. On importe trente mille esclaves par an, soit un remplacement du tiers du cheptel au cours des cinq dernières années de la décennie. Dix fois le contingent annuel du milieu du siècle ! Nulle part ailleurs on n'a concentré autant d'esclaves pour si peu de maîtres. Vingt fois plus que dans la partie espagnole de l'île, mal organisée, il est vrai !

---

2. Aveugle : André-Marcel d'Ans l'a bien souligné dans son livre *Haïti, paysages et société*, Paris, Karthala, 1987.

Pas une voix ne s'inquiète des conséquences de cette fièvre « développeuse ». Une frénésie voulue par les planteurs et soutenue par l'État – le colbertisme abouti –, mais qui profite plus encore à la bourgeoisie marchande des ports de l'Atlantique et d'ailleurs. Commencent à s'accumuler les capitaux auxquels la révolution industrielle du XIXe siècle donnera de nouveaux et fructueux débouchés. On s'en doute, le lobby colonial trouvera, après 1789, de puissants soutiens métropolitains.

L'espérance de vie d'un jeune Noir embarqué au Dahomey, au Sénégal ou ailleurs diminue au fil du siècle. Après le voyage viennent la marchandisation et le joug. Sans compter le mur de mépris, voire de sadisme, de la part des acheteurs. Quelques mois suffisent à l'esclave pour mesurer à quel point il est emmuré. Son chemin est sans issue. Il comprend vite comment le cul-de-sac concentrationnaire mène à une mort prompte et programmée. Rien à voir avec l'esclavage antique ou la servitude pratiquée sous d'autres latitudes ! Avec la bénédiction de l'Église catholique, on organise la déchéance, la descente aux enfers. Pour chacun, pour tous et pour la descendance quand elle existe.

Le planteur et le Code noir permettaient pourtant l'affranchissement. Qui se pratiquait parfois, avant que ne s'alourdisse la pression économique. Nègres domestiques, maîtresses récompensées, descendants émancipés : les « libres de couleur » bénéficient des droits économiques des Blancs... et de leur total mépris. La même morgue que celle d'un noble à l'égard d'un roturier, exacerbée par la supériorité de couleur !

Les affranchis sont probablement en 1789 aussi nombreux que les Blancs. Libres de couleur, sang-mêlé, métis. L'anthropologie de l'époque fait d'infinis et subtils distinguos de couleur et de parentèle. Dominent deux catégories à l'avenir avéré : Noirs libres et mulâtres.

Libres, c'est leur force ; non-Blancs, c'est leur disgrâce et leur destin.

La liberté se transmet en droit aussi rigoureusement que la servitude. Pas en termes démographiques. Les nègres de plantation meurent souvent à la tâche sans descendance, victimes du choix économique des planteurs qui préfèrent, en général, l'importation à l'élevage *in situ*. Les mulâtres sont souvent enfants d'affranchis. Leurs familles sont nombreuses. L'accroissement naturel est aussi fort que les nouveaux venus sont rares. Un esclave de culture, à la fin du siècle, n'a plus d'autre horizon que la servitude et la mort. Un « libre de couleur » ou un « Noir libre de savane » reste voué à demeurer un sujet rejeté par le Blanc.

Le primat du profit immédiat, joint à la haine de classe ou de race, a presque supprimé toute soupape de sécurité. La porosité entre castes a été réduite. L'apartheid, porté à son paroxysme, permet à 6 % de Blancs (colons, fonctionnaires, petits Blancs et militaires) de maîtriser un système dont rien ne signale les signes de fragilité.

Reste à tout prisonnier une alternative : l'évasion. Elle existe. Des bandes de nègres marrons tentent de survivre dans la montagne. La nature n'est guère prodigue, et les complicités impossibles. Certains tiennent depuis longtemps. Impossible de les dénombrer. Le Code noir prévoit l'amputation des oreilles ou d'une jambe à la première escapade, la mort, agrémentée par le propriétaire des pires supplices, en cas de récidive ou de vol. « Nègres dévorés par les chiens... broyés au moulin... cloués sur des planches... enterrés jusqu'au cou, enduits de sucre près d'un nid de fourmis[3]... » Les châtiments exemplaires – la liste en est inépuisable – terrorisent les survivants.

Quand éclate la Révolution française, la masse des esclaves sont des Africains débarqués de fraîche date : les *Bossales*, un nom dérivé de « peaux sales ». Les natifs – maîtres, affranchis ou esclaves – forment une minorité que les préjugés, les réalités et les intérêts opposent entre eux, même s'ils sont tous (une partie des Blancs mise à part) créoles, c'est-à-dire acculturés au système franco-îlien. Ainsi, les esclaves nés sur l'île, devenus domestiques, ont souvent un petit métier ou un lopin sur la plantation. Naturellement, les « civilisés » méprisent les derniers arrivants, les *Bossales*.

À Paris, rares sont ceux qui savent vraiment. Qui veulent savoir. Mis à part quelques philanthropes, les intellectuels, tout en sucrant leur breuvage favori dans les cafés révolutionnaires, ont d'autres chats à fouetter. Le Club des amis des Noirs de l'abbé Grégoire pèse si peu face à un puissant groupe d'intérêts, où Cap-Français et Port-au-Prince peuvent compter sur Nantes et Bordeaux. Les *isles* ne sont-elles pas garantes de l'excédent commercial de la France ? Leurs députés ont été choisis exclusivement par les Blancs.

« Les hommes naissent et demeurent libres et égaux en droits. » Comment appliquer là-bas l'article 1er de la nouvelle Constitution ? Comme les

3. Jean Fouchard, *Les Marrons de la liberté*, Haïti, Deschamps, 1972.

esclaves sont indispensables à la production sucrière, ils en sont d'emblée exclus. Affaire tôt réglée. Il fallait lire : « Les hommes blancs naissent et... » Quant aux affranchis, leur émancipation politique paraît pourtant aller de soi. Beaucoup s'apparentent à la petite ou moyenne bourgeoisie triomphante. Devenus propriétaires, notamment dans le secteur caféier à l'expansion plus récente, ils souhaitent un partage des droits politiques. Plus créoles que les Blancs, ils possèdent comme eux des esclaves. De plus en plus.

L'Assemblée tergiverse. Accorde puis annule. Tiraillée entre droit et économie. Quand la France affronte la banqueroute financière publique, pourquoi pénaliser ce secteur tellement pourvoyeur de devises et acheteur de biens nationaux ? La haine de classe des planteurs blancs s'applique à tous les autres. Ils réclament, au surplus, d'être maîtres chez eux, leur assemblée donnant des ordres à l'autorité royale. À l'instar des anciennes colonies britanniques devenues indépendantes, l'aristocratie des habitations déclenche une campagne de terreur et agite le drapeau de la sécession.

Le 24 septembre 1791, la loi est dite. « Les lois concernant l'état de personnes non libres [les esclaves] et l'état des hommes de couleur [mulâtres et nègres libres] [...] seront faites par les assemblées coloniales [...] et seront portées directement à la sanction absolue du roi[4]... » Après deux ans de turbulences, l'ordre règne à Saint-Domingue. Mais les droits de l'homme sont et demeurent les droits de l'homme blanc.

Les machines de communication du XVIIIe siècle ne sont pas les nôtres. Près de deux mois sont nécessaires pour un aller simple de Cap-Français à Brest. Les informations parfois se croisent. En cette fin d'été 1791, le télescopage est dramatique. Ce que la loi nouvelle établit, la réalité l'a rendu obsolète.

Va-nu-pieds, lanturlus, croquants : la France d'Ancien Régime, et la vieille Europe avec elle, connaissait périodiquement de violentes révoltes. Contre les collecteurs d'impôts, les droits seigneuriaux, l'arbitraire... Des *émotions*. S'étendant parfois à une province entière. Réprimées plus ou moins promptement. Sauvagement toujours.

4. Cité par Robert Cornevin, *Haïti*, Paris, PUF, 1993. L'ouvrage est une introduction pertinente à l'histoire d'Haïti jusqu'en 1992.

Les Spartacus sont rares dans les colonies du XVIIIe siècle. Des incidents dégénèrent parfois brutalement dans une plantation, mais il y a peu d'assassinats de planteurs par des nègres déchaînés. Les Blancs sont armés, les esclaves divisés entre Créoles et *Bossales*, la répression inexorable, mais circonscrite dans le temps et l'espace. La meilleure esquive reste la fuite. Malgré la réduction des espaces sauvages, le marronnage augmente. Condamné et inlassablement pourchassé, il est finalement tolérable, au chapitre pertes et profits, tant qu'il s'isole dans des zones inutiles. En effet, le prosélytisme des marrons obligerait au partage d'une pitance déjà chiche.

La Révolution française a deux ans. Ses valeurs se répandent, ici comme ailleurs, dans les différentes couches de la population, à l'exception des *Bossales*. Spartacus s'appelle Boukman. C'est un Créole qui sait lire, qui sait aussi que liberté et égalité sont à l'ordre du jour. Probablement a-t-il compris que Blancs et affranchis se disputaient ces nouvelles valeurs, excluant les esclaves. Il sait aussi parler, être entendu, initié qu'il est au vaudou, religion des esclaves. Le prophète est bienvenu.

Il rassemble à Bois-Caïman plusieurs milliers d'esclaves du Nord, la région la plus prospère. Comment sont-ils venus si nombreux – des milliers – et dans le plus grand secret en cette nuit du 14 août 1791 où, dit-on, tombaient des trombes d'eau ? Des marrons ont-ils apporté leur concours ? La religion vaudoue sera-t-elle un lien qui propagera la parole rebelle ? Ceux qui entendent cette nuit-là Boukman appeler à la révolte se transforment en conjurés. À leur manière, les « militants » vont ensuite transmettre les consignes.

« Le Dieu des Blancs demande le crime. Le vôtre veut les bienfaits. Mais ce Dieu qui est si loin vous ordonne la vengeance. Il dirigera vos pas. Il nous assistera. Jetez le Dieu des Blancs qui a soif de nos larmes. Écoutez la liberté qui parle à notre cœur[5]. » Les *Bossales* étaient nombreux. Personne, on s'en doute, n'a pris de notes.

La jacquerie du 22 août 1791 surprend les autorités françaises. Par son ampleur. Par son organisation. Par sa durée. Par sa violence. Les Créoles fournissent les cadres, les *Bossales* les hordes vengeresses. Elle inquiète d'autant plus qu'elle n'a pas de précédent. La région du Nord est ravagée, des centaines de Blancs subissent à leur tour les pires supplices, des milliers

5. Manuel scolaire haïtien de 2002, extrait.

d'esclaves désertent. Même s'ils échouent devant Cap-Français, à la manière des jacqueries occidentales arrêtées par les remparts de la ville, les insurgés ne sont pas matés. La grande peur qu'ils inspirent s'étend aux autres régions. Les massacres aussi. La France a-t-elle perdu la partie ?

1792 : Saint-Domingue n'est plus la colonie la plus riche du monde. Une partie de la main-d'œuvre a disparu. Elle manque pour produire. Et pour réparer les sucreries, les caféteries, les indigoteries, les machines, les systèmes d'irrigation, les habitations, les cheptels détruits. Les rebelles s'en prennent à des réalités qui sont autant de symboles d'une insupportable exploitation. Personne n'a de proposition alternative. L'aire du marronnage s'étend. Les pillages, ressource provisoire, ne constituent pas un antidote au système de plantation qui se délite. Briser les chaînes : comment les *Bossales* pourraient-ils imaginer l'au-delà, entre la servitude agricole honnie et les souvenirs africains ?

La démolition, au sens propre, de tout ce qui symbolise le mal va perdurer jusqu'au XXIe siècle. Dans un pays où l'on construit peu, chaque *émotion*, chaque conflit politique ou social se traduira par la mise à sac, l'incendie de la source présumée du mal. *Dechoukaj !* Dessoucher. Destruction des racines, des souches. Matérielles ou humaines.

L'année 1792 est terrible. Confuse. Les habitations sont désertées ou attaquées. Les Blancs refusent toute « alliance des libres » pour le maintien de l'esclavage. Entre affranchis et esclaves, pas non plus la moindre connivence. Les trois classes (au moins !) s'affrontent. Les mulâtres entrent en guerre contre les Blancs. Affrontements urbains. Malgré les trêves, les victimes se comptent par centaines. Débordée, manquant de troupes, comment l'administration de la colonie pourrait-elle faire face ? D'autant qu'en France l'avènement de la république coïncide avec le début de la guerre contre le reste de l'Europe, bientôt coalisée. Et que d'autres îles à sucre françaises, comme la Guadeloupe et Sainte-Lucie, vont suivre le mouvement. Autant de facteurs d'aggravation de la crise locale.

Arrivent les commissaires de la République, aux pouvoirs discrétionnaires. Un métier difficile pour des hommes politiques tout neufs, face à une situation inédite. La lecture de l'*Encyclopédie* leur tient lieu d'École nationale d'administration ! Avec eux, six mille soldats qui résistent mal aux fièvres. Sonthonax, le « proconsul » de la Convention, proclame d'emblée la règle : l'esclavage est indispensable à la prospérité, le Code noir est quasi rétabli. Il n'y a que « deux classes d'hommes dans la colonie de Saint-Domingue : les libres, sans aucune distinction de couleur, et les esclaves ».

Blancs, affranchis, esclaves. Sonthonax veut sortir du triptyque. La guerre le ramène aux réalités. Espagnols et Anglais avivent les antagonismes. Les premiers arment les esclaves, les seconds préparent avec des Blancs le transfert de souveraineté. Le gouverneur français tente d'arrêter Santhonax... qui n'a d'autre choix, pour assurer son autorité, que d'en appeler aux bandes nègres qui marronnent dans la plaine du Nord.

Nouvelle déchirure : une grande partie de la population blanche s'embarque pour l'Amérique du Nord. Nouveaux alliés, nouveau cap. C'est ce que proclame Sonthonax en août 1793 : « Tous les nègres et sang-mêlés actuellement dans l'esclavage sont déclarés libres pour jouir de tous les droits attachés à la qualité de citoyen français. » Les commissaires octroient un droit, mais ne distribuent pas vraiment un cadeau. Ne découvrent pas subitement que les esclaves sont des hommes, donc des citoyens. Acculés par les impératifs de défense nationale, les missionnaires de la République une et indivisible traitent avec les seuls alliés possibles. Leur distribuent ultérieurement des armes. « Voici votre liberté, dira Sonthonax, celui qui vous enlèvera ce fusil voudra vous rendre esclave. »

La Convention, où les considérations éthiques rattrapent les enjeux stratégiques, vote l'abolition de l'esclavage dans *toutes* les colonies en février 1794 (loi du 16 pluviose an II). La Révolution française n'avait pourtant pas prévu de faire des enfants sous pareille latitude ! Conjuguée à une oppression inégalée, la revendication d'égalité des droits a contaminé une société à laquelle elle n'était pas destinée.

Saint-Domingue est en partie occupée par des forces étrangères. Elle produit d'autant moins qu'une fraction de la main-d'œuvre marronne ou entre dans les armées indigènes qui écument le pays. Dans l'une d'elles, un général : Toussaint, dit Louverture. Un Noir libre, propriétaire d'esclaves, bien élevé, royaliste, autoritaire et dévot. Habile négociateur et stratège audacieux, il se place au service de qui rétablira la royauté. L'Espagne, en l'occurrence.

L'abolition de l'esclavage par la Convention produit un déclic qui le rallie à la France. Toussaint est de ces rares officiers tout neufs qui ont les qualités de leur ambition. Son sens de l'organisation fait merveille face à l'état anarchique de la colonie. Il est noir comme ses troupes, mais totalement créole. Ce qui rassure les derniers piliers de l'ordre colonial branlant. C'est d'ailleurs un homme d'ordre, abolitionniste et colonialiste tout à la fois.

À la manière du général Bonaparte, il décide de la paix et de la guerre. Chasse les troupes étrangères, s'appuie sur les derniers « talents » blancs, écrase en revanche ses plus dangereux concurrents, les mulâtres, regroupés au Sud, occupe la partie espagnole, dicte conditions et décrets. Tout le pouvoir est aux Noirs. Des trois créolités ne paraît subsister que la noire. La métropole, qui s'oppose au syndicat unifié des monarchies européennes, n'a pas, au surplus, la maîtrise des mers. En droit, Saint-Domingue, c'est la France. Avec Toussaint en proconsul tout-puissant. À qui le proconsulat suffit. Et qui, comme son homologue français Bonaparte, veut rétablir la confiance, les valeurs familiales et l'économie.

On a beaucoup écrit sur le personnage[6]. Le héros de l'indépendance est aujourd'hui sanctifié en Haïti. La religion de père de la patrie a son catéchisme. Y déplacer ne serait-ce qu'une virgule relève de l'apostasie. Quand rien ne va plus à son goût, l'élite invoque Toussaint et draine le ressentiment populaire vers un culte équivoque. Comme les révolutionnaires américains ou français, il est à la fois acteur de son temps et homme universel. Comme Washington ou Jefferson, comme Sonthonax et ses patrons du Comité de salut public, puis du Directoire, il est grand parce qu'il a fait face, sans y avoir été préparé, à une situation imprévisible, à une formidable accélération de l'histoire.

Toussaint-Louverture, à la tête d'une armée d'esclaves, en majorité *bossales*, est bien le libérateur des esclaves. Sonthonax et la Convention y avaient pris leur part, sous le poids des circonstances. L'après-servitude, telle que la dessine le libérateur, ne coïncide sans doute pas avec les projets furieusement égalitaristes de la masse des nouveaux affranchis. Le héros meurt en 1803. L'émancipation façon Toussaint n'aura pas vraiment le temps de provoquer des désillusions. Louverture et Bonaparte ne manquaient pas de traits

---

6. Les historiens haïtiens se sont largement exprimés, et sur Toussaint-Louverture, et sur la période révolutionnaire qui débouche sur l'indépendance. Pour une approche plus romanesque : Fabienne Pasquet, *La Deuxième Mort de Toussaint-Louverture*, Arles, Actes Sud, 2002.

communs : comme siffler brutalement la fin du chambardement social. Sans revenir au *statu quo ante*.

Savoir terminer une révolution.

Remplacer définitivement un ordre ancien par un ordre nouveau ? Surtout, revenir à l'ordre. Les deux ordres ne sont pas identiques. Pour le Premier consul français, l'ordre louverturien fait désordre. L'émancipation des esclaves est à la fois une aberration économique et un crime politique de lèse-métropole. Une insulte à l'histoire. Cette filiation, ou même ce lointain cousinage avec la Révolution française, un concubinage monstrueux.

1801 apporte une éclaircie : l'Europe se trouve provisoirement en paix après le traité d'Amiens. Une trêve. Bonaparte dispose d'un peu de temps, et de la libre circulation maritime.

Toussaint-Louverture est devenu un insoumis. En légiférant seul, ignorant les représentants esseulés de la métropole. En ouvrant les ports au commerce *interlope*. En promulguant une Constitution. En se proclamant gouverneur à vie. Le voilà désigné rebelle. La marche à l'indépendance est inacceptable pour un Bonaparte toujours vainqueur, sûr de lui et dominateur. Qui a fait sienne la devise de Richelieu : « Le pouvoir est comme le point, il ne se partage pas. » Même si l'île, réputée riche, peut intéresser l'Anglais, le pouvoir noir répugne à tous. Depuis une décennie, les promesses d'abolition de l'esclavage par les puissances européennes ont toujours été provisoires et conjoncturelles. Virtuelles. C'est même ce qui rallia Toussaint à la loi républicaine de 1794.

Conduits par le beau-frère de Bonaparte, le général Leclerc, vingt mille soldats, parmi lesquels beaucoup de vétérans des guerres révolutionnaires, débarquent à Cap-Français en février 1802. Parti quatre-vingts jours plus tôt, le corps expéditionnaire, l'un des plus puissants transportés à pareille distance, a fait escale à la Guadeloupe, elle-même révoltée. Pas question, annoncent les proclamations directement inspirées par Bonaparte, de rétablir l'esclavage. « Il n'y a plus d'esclaves, tout y est libre, tout y restera libre... » Exception faite pour la Martinique, patrie de Joséphine. Une exception qui a tout lieu d'inquiéter, dans un pays aux habitudes si jacobines.

La guerre n'épargnera personne et sera d'une férocité inouïe. Une valse macabre à trois temps qui débouche sur une indépendance sans modèle.

Malgré la résistance, notamment celle de Dessalines à la Crête-à-Pierrot, la supériorité matérielle de l'armée française s'impose en quatre mois. Toussaint-Louverture fait allégeance. Provisoirement. Il attend loin de Cap-Français, conservant des réserves.

Sa glorieuse carrière s'achève le 6 mai 1802, dans un guet-apens. Prisonnier, transféré en France, il y mourra l'année suivante dans une glaciale forteresse franc-comtoise. Bonaparte ne le rencontrera jamais, ne lui envoyant un visiteur que pour lui arracher des aveux... sur la localisation de son trésor de guerre. Sont-elles prophétiques, ses dernières paroles partout rapportées : « En me renversant, on n'a abattu à Saint-Domingue que le tronc de l'arbre de la liberté des Noirs ; il poussera par les racines qui sont puissantes et nombreuses » ?

Juillet 1802 : l'esclavage est rétabli en Guadeloupe. La nouvelle « libère » à Saint-Domingue toutes les énergies. Au moment où, phénomène habituel avec l'arrivée de l'été tropical, la fièvre jaune décime les régiments fraîchement débarqués. Leclerc est emporté. Toussaint pris, le retour inéluctable des chaînes de l'esclavage, les premières exécutions pour l'exemple déclenchent de part et d'autre des représailles impitoyables. Guérilla contre répression. Tortures atroces et systématiques. Pas de prisonniers. La perspective d'un retour à une condition infra-humaine décuple les forces. Noirs contre Blancs. Ou Blancs contre non-Blancs. Guerre de race. Guerre d'indépendance. Chacun, sur fond d'inhumanité, arbore sa couleur, joue sa peau.

Dessalines, un ancien esclave créole appartenant à un propriétaire noir, est chargé de l'insurrection finale. Son parcours depuis 1791 ne ressemble pas à une ligne droite. Mais courageux, brutal, despotique, il est l'homme de la situation, sait galvaniser les anciens esclaves. Le temps n'est plus à la négociation. L'armée française se délite. Abandonnée. Bonaparte, lui, est occupé à d'autres projets. Il s'imagine déjà franchissant la Manche. En recul partout, les débris de la meilleure armée du monde capitulent en novembre 1803.

Le 1er janvier 1804, l'indépendance est proclamée à Gonaïves, la troisième ville de l'île.

CHAPITRE 4. LA CONFISCATION

« Haïti » en français, la langue des maîtres. *« Ayiti »* en créole, le parler des esclaves. *La terre des grandes pentes.* Ainsi se nomme la première république nègre indépendante de l'histoire de l'humanité. De son indianité originelle ne restera qu'un mot.

Première république noire. Première révolte d'esclaves qui ait abouti. Première à bafouer la toute-puissance blanche et européenne. Première blessure et première cicatrice infligées à l'Europe dominante. Première irruption du tiers-monde quand le mot lui-même n'existe pas. Au prix du sang. Au prix d'une rupture totale. De conséquences que nul n'a pu anticiper. Le siècle des Lumières a éclairé les révolutions américaine et française. Quelle boussole, dans l'état culturel et matériel d'Haïti, va guider les nouveaux maîtres et leur nouveau peuple ?

Révolution signifie changement de pouvoir, de régime ou d'identité et, au-delà, bouleversement social. À la jointure du XVIIIe siècle, celui des Lumières (des libertés ?), et du XIXe siècle, celui des nations, trois grandes révolutions en vingt ans : l'états-unienne, la française, l'haïtienne. Deux sont affaire de Blancs, leur filiation est incontestable. Benjamin Franklin, Lafayette, Jefferson ou Condorcet font mieux que se comprendre. Ils n'auraient sans doute pas pu, ou pas voulu, partager leur « salon où l'on cause » avec Dessalines, qui se proclame empereur, ou avec Christophe, roi du Nord sous le nom d'Henri Ier quelques années plus tard. Prendre le café avec des despotes si mal éclairés ?

Quel partage de valeurs entre une indépendance états-unienne imposée en partie par les propriétaires d'esclaves et une révolution haïtienne qui s'unit autour de l'abolition de l'esclavage ? Au-delà des notions de liberté et d'égalité, sources de tant de quiproquos, quelle parenté entre sans-culottes, jacobins, *Bossales* et Créoles ? Haïti, aux yeux du monde, est plus une aberration qu'une révolution. Fille indigne ou accroc à la grande Révolution française. Enfant bâtard ou rejeton monstrueux. Au mieux, une tierce révolution. Issue d'un tiers état, lui-même produit d'un crime contre l'humanité dont, en 1804, on n'a ni conscience ni remords. Alors, pourquoi le prendre en compte ?

L'indépendance haïtienne est d'une singularité absolue. Anachronique et prémonitoire. Anachronique parce que la mode est à la colonisation ; que les plus belles colonies sont encore à venir, l'Afrique à partager entre les appétits anglais, français, portugais et autres ; que le discours de Monroe, cinquième président des États-Unis, devient doctrine de Monroe, qui définira l'Amérique comme arrière-pays états-unien. Événement prémonitoire car annonciateur d'émancipations à venir, soutien moral et logistique à l'épopée bolivarienne. Exemplaire enfin, mais oublié : Haïti fut la première, mais c'était il y a si longtemps... Qui le sait, à Johannesburg ou à Gorée, et même à Cuba ou à Caracas ? Le président Pétion hébergea à Jacmel un Simon Bolivar bien isolé. Haïti n'en tira guère de gratitude.

Unique, la révolution haïtienne. Comme la victoire de Marathon qui sauva la démocratie (esclavagiste) athénienne, comme la « découverte » de l'Amérique par Christophe Colomb vingt siècles plus tard, ou comme la proche canonnade de Valmy qui scella la Révolution française. Et fit dire à Goethe, témoin : « De ce jour et en ce lieu commence une ère nouvelle. Vous pourrez dire, j'y étais. » Tous les symboles n'ont pas la même vitalité. Robin des Bois et Spartacus, justiciers, imprègnent la mémoire de tous. Mais la seule et unique victoire de Spartacus, si proche, est si loin. Oubliée. Ou presque. Parce qu'elle manqua du Robin des Bois que les gueux, peut-être, attendaient ?

Oubliée, la révolution à Saint-Domingue. Parce que décidément trop singulière ? Trop dérangeante pour les maîtres du monde comme pour les maîtres des mots ?

Les guerres civiles sont, dit-on, les plus terribles. La guerre de libération de Saint-Domingue s'inscrit dans la norme. Le cauchemar du retour à l'univers concentrationnaire a dopé le camp de la liberté. Dessalines, qui doit abandonner la partie espagnole, est plus un général et un justicier qu'un visionnaire et un homme d'État. Il sait qui le fera empereur. La victoire est sans pitié. Restent quelques milliers de Blancs dans la colonie. Ils sont massacrés. À l'exception d'un quarteron de médecins et de prêtres, et d'un régiment polonais de l'armée consulaire qui s'est rebellé.

1791-1803. Douze années d'agonie et un ultime et terrible spasme. Saint-Domingue a disparu. Comment Haïti va-t-elle exister ? Plantations souvent hors d'état, nouveaux affranchis sans statut, armée pléthorique, absence de techniciens, déficit de matière grise, retour possible du *blan* (qui signifie « étranger » en créole, on peut être *blan* et noir). Table rase ?

Les maîtres sont partis. L'union sacrée, réalisée après l'annonce venue de Guadeloupe, n'a nullement gommé les anciennes classes. La guerre révolutionnaire a permis quelques promotions fulgurantes. Les *Bossales* officiers sont l'exception. Les mulâtres se remettront, avec Pétion, de la persécution initiée par Toussaint-Louverture. La richesse, la compétence, une influence qui peut dépasser l'île-ghetto les avantagent. Mais leur couleur peut toujours les transformer en utiles boucs émissaires. Les Noirs libres, les plus nombreux, ont fourni les cadres militaires, les propriétaires d'esclaves y intégrant des affranchis moins favorisés. Tous sont créoles. Une minorité ou plutôt deux, qui viennent de chasser les maîtres. Et qui, dans la division en classes, se hissent au premier rang.

La majorité, les *Bossales*, reste au dernier. Habitués à l'égalité de fait dans les plantations, ils n'ont gagné « que » la liberté. Pour eux, pas d'autre programme – mais quel programme ! – qu'un postulat tout simple : plantation signifie esclavage. Variante : la liberté exclut la plantation. Les Africains veulent éradiquer le système qui leur fut imposé. Ils mettront beaucoup de temps pour le dire, ils n'ont pas les moyens de l'exprimer, mais ils veulent construire une société. *Lot bagay*. Autre chose.

Les Créoles, eux, veulent *re*construire. Seulement reconstruire le seul modèle qu'ils connaissent : l'agriculture d'exportation, avec ses énormes besoins de main-d'œuvre. En supprimant les excès de l'esclavage, et peut-être les mots qui blessent : plantation, travail forcé...

Les uns se placent dans le cadre de la division mondiale du travail ou de l'économie libérale que le XIXe siècle va renforcer, voire légitimer. Les autres ne sont pas allés à l'école, mais rêvent à la Guinée : ils ne comprennent rien à l'économie. Tout au plus se disent-ils que les lopins de terre, concédés sur la plantation à l'esclave créole pour ses cultures vivrières, donnaient un embryon d'autonomie. Agrandissons les lopins, jardinons, produisons notre subsistance. Les plantations abandonnées ou mal gérées sont légion, la terre ne manque pas. Quoi de plus facile que de permettre à chaque famille, quelle que soit sa composition (la famille, chez les *Bossales*, est à composer, on ne s'en souciait pas avant 1794), de recevoir un gros lopin. Un lot.

Les *Bossales* sont sans voix. Mais entêtés. Une force d'inertie à l'épreuve de tout, une résistance inoxydable.

Toussaint-Louverture avait plus qu'une opinion sur le sujet. Comme le Premier consul français, il pouvait à la fois faire la guerre et légiférer sur l'ouverture des ports, la religion ou le vagabondage. Il n'aimait pas les vagabonds. Le mot est resté très péjoratif dans l'Haïti d'aujourd'hui.

Pas un instant il n'imagine quelque forme d'autosuffisance ou d'autarcie, agricole, familiale ou nationale.

Il s'appuie même sur les textes de Sonthonax et du Directoire. Avec deux objectifs complémentaires : restaurer la plantation et organiser le travail forcé. On ne peut affermer les exploitations vacantes qu'en totalité, on ne peut vendre les terres que par tranche de soixante hectares, et après enquête. Le travail est obligatoire, la surveillance militarisée, les punitions sévères. L'ordre social se double d'un souci de bonne moralité, dont les élites s'exonèrent. On traque l'oisiveté, on pointe la présence aux offices...

L'anthropologue Gérard Barthélemy est plus direct quand il écrit, en 1996 : « Il imposera une politique de développement de type libéral, que ne récuserait pas, aujourd'hui, la Banque mondiale dans ses tentatives d'ajustement structurel. » Ce qui vaut pour les successeurs de Toussaint : « Le système de plantation n'aura fait que changer de maîtres et ne [lui] manquera, somme toute, que l'esclavage[1]. »

Polvérel, lui aussi commissaire de la Convention, avait pourtant proposé une autre organisation : gérer la plantation collégialement, à partir d'élections, chacun travaillant selon ses besoins. Les propositions

1. *Dans la splendeur d'un après-midi d'histoire*, Haïti, Deschamps, 1996. Gérard Barthélemy est également l'auteur d'une remarquable initiation à l'univers rural haïtien, *Le Pays en dehors*, Montréal, CIDHICA, 1989.

alternatives et radicales de Polvérel ne furent guère relayées par les nouveaux maîtres !

Le corps de doctrine de Toussaint, au départ très avantageux pour les officiers, leur convenait. Ses successeurs le préserveront pour l'essentiel. Enfermer chacun dans une plantation. Rétablir, sous des formes à peine différentes, le caporalisme et la dictature du travail. Avec l'aide de celui que Boukman nommait le Dieu des Blancs : ainsi, les *lwa*, divinités vaudoues cachées sur les vaisseaux négriers et débarquées d'Afrique avec leurs ouailles, sont pourchassées, le catholicisme encouragé. Dommage qu'on manque de prêtres !

Les classes dominantes vont mobiliser toute la ressource – le domaine public, vaste réserve constituée de toutes les terres sans maître – et toute l'énergie – les forces de répression – de l'appareil d'État pour entraver une parcellisation conçue comme la ruine du pays. Que l'ancienne Saint-Domingue ait besoin de devises pour se développer ou pour contrarier un éventuel retour des Français justifiait-il la nécessité conjuguée des cultures d'exportation et du travail forcé ?

Maître du Nord de 1811 à 1820, le roi Christophe[2] finance sa politique de grands travaux, encouragée par l'étranger, par un accroissement spectaculaire de l'exportation des produits tropicaux. Au prix d'un quasi-retour de l'esclavage (rémunéré) et de l'arbitraire coloniaux. L'ancien esclave, général de l'armée de libération, enchaîne à nouveau les siens. De plus en plus brutalement. Les cours de la canne s'effondrent, les travailleurs forcés s'enfuient dans les montagnes. Se perpétue la tradition de marronnage. Fuite, esquive, attente.

L'esclavage a disparu dans les textes, mais prospère dans les têtes et dans les faits. L'élite reconstituée, trop égoïste ou paresseuse pour dessiner une modernité à l'haïtienne, ne rêve que d'Occident et de reconnaissance par l'Occident. Qui se moque de ces « négrillons parlant français », pour reprendre une appréciation états-unienne du XIXe siècle. Cette égalité de traitement ou de considération que la bourgeoisie haïtienne attend du Blanc, elle n'en a cure quand il s'agit de ses propres concitoyens.

2. Immortalisé par le chef-d'œuvre d'Aimé Césaire, *La Tragédie du roi Christophe*, qui met en évidence cette entrée au forceps, factice et inutile au plus grand nombre, dans la modernité occidentale.

Le Nord a tort ; la bourgeoisie créole en vaut bien d'autres. Elle exploite les paysans sans terre avec la même âpreté au gain que les colons européens useront des indigènes africains et asiatiques, quand, à la fin du XIXe siècle, l'expansion du Vieux Continent connaîtra son second souffle outre-mer. À cette cocasse différence près : en Haïti, le peuple indigène est le dernier arrivé. Ou le dernier venu.

Comment les derniers débarqués, vendus par dizaines de milliers au Cap-Français, au sortir des cales, peuvent-ils faire avancer leur projet, vingt ans après ? Que veulent-ils, ces cultivateurs, comme on les nomme maintenant ? Le contraire du libéralisme : une société égalitaire, la fin des plantations, la réforme agraire. Pourtant à l'écart des idéaux socialistes qui s'épanouissent au XIXe siècle, ces culs-terreux, méprisés par leurs dirigeants, sont des partageux. Porteurs d'un projet radical qui rejette tous les schémas, toutes les valeurs, des anciens et des nouveaux maîtres – dont un bon quart sont d'ailleurs les mêmes, à la fortune parfois arrondie.

Quand les élites s'échinent à prolonger le système colonial à leur profit, ils accrochent leurs lopins aux collines, grignotent la plantation, se font métayers illégaux, malgré les contraintes et la violence exercées par les pouvoirs. L'appareil d'État, même quand sa faiblesse le réduit à sa seule fonction répressive, est mobilisé, depuis ses origines, pour entraver cette exigence d'égalité dans l'accès à la terre, formulée par les ruraux. Il n'y a plus de Code noir, mais un Code rural.

Les décisions du président haïtien Geffrard, un mulâtre, sont typiques. Il généralise la corvée, un des pires symboles d'atteinte à la liberté pour les paysanneries du monde entier. Pas même au profit des infrastructures, comme ce fut le cas ailleurs, mais des plantations. Le concordat qu'il signe en 1860 avec le pape vaut, soixante ans après, reconnaissance. Il permet surtout d'assurer l'encadrement de la paysannerie. Et garantit l'importation d'un produit occidental, soutien de l'ordre établi : le prêtre, souvent d'appellation bretonne contrôlée. Un siècle durant, la hiérarchie catholique, apostolique et romaine sera exclusivement française.

Port-au-Prince, nouvelle capitale depuis l'indépendance, initie peu de projets, mais garde une inaltérable capacité de nuisance. Et s'entête à contrarier l'accouchement d'une société alternative à la norme (plantations et *latifundias* fonctionnent dans tous les pays du Sud, voire au-delà), communautaire, furieusement égalitaire. En recherche de stabilité. Une société si égalitaire qu'elle ne supporte pas les différences, qu'elle se situe aux antipodes de l'individualisme (qu'il s'agisse d'égoïsme ou de droit à la différence), qu'elle verse dans l'unanimisme. Et exerce sur les membres de la fratrie ou du groupe un contrôle social aussi naturel que permanent. Des qualités et des défauts que les oligarchies qui se disputent le pouvoir ne manquent pas de prendre en compte, de récupérer ou d'utiliser. Ces traits dominants caractérisent toujours les mornes : on peut y vivre sans représentants du pouvoir central. Sous condition de conformité aux mentalités.

La nouvelle bourgeoisie créole forme un petit monde lézardé, miné par les différences d'origines et les rivalités d'ambitions, mais un bloc compact face aux revendications des masses rurales. Ainsi, unie pour nier aux arriérés leur droit à définir leur propre avenir, puis pour les marginaliser, la classe dominante laisse néanmoins apparaître d'évidentes divisions. La couleur de la peau, le nombre de quartiers d'affranchissement, le maniement de la langue française, le « statut » avant la guerre d'indépendance et le « rôle » pendant (pour les officiers plus que pour la piétaille), tous ces éléments, et quelques autres, identifient et qualifient sans appel. Dans un système de castes, les origines, les apparences et la réputation pèsent autrement lourd que les qualités humaines ou professionnelles. Vous êtes quelqu'un si vous êtes réputé être quelqu'un !

Deux factions principales se disputent l'hégémonie. Les guerres intestines et la division intérieure résorbées (1820), tout se trame à Port-au-Prince, théâtre unique pour initiés. Près de deux siècles durant, les ingrédients du huis clos perdurent. Un même et unique spectateur : le peuple.

Deux groupes d'acteurs se succèdent au pouvoir. Les mulâtres ont du sang bleu. Leur sentiment de supériorité va de soi. Très minoritaires, ils doivent faire oublier cette peau claire, dont ils sont très fiers, par plus d'ouverture d'esprit, et mettre l'accent sur les libertés individuelles, même formelles. Comme groupe ethnique aisément identifiable, comme commerçants, ils ont davantage besoin de cet appareillage. Perçus comme des étrangers en relation avec le monde extérieur, ils apparaissent plus ouverts aux mutations et sont favorables à certaines valeurs républicaines, confinées, bien sûr, aux quelques milliers de familles composant l'élite.

Les anciens Noirs libres ont largement profité du proconsulat de Toussaint-Louverture et de la guerre d'indépendance. Devenus les plus grands propriétaires terriens, grossis des cadres militaires qui se sont accaparés nombre de plantations, ils voudraient maintenir un ordre agraire qui se délite. Les grandes exploitations ? Ils n'ont ni les moyens ni la compétence pour les rendre à leur vocation. Dirons-nous qu'ils sont plus jacobins ? Centralisateurs et garants de l'ordre ? Surtout plus autocrates et populistes à la fois. Capables de jouer sur la solidarité de la couleur pour isoler les autres, nationaux ou étrangers. Sans rien concéder sur le fond aux paysans qu'ils méprisent. Le noirisme qu'ils manient est autant une proposition d'identité sans contenu qu'un racisme et une mise en garde.

Ils seraient des nationaux, leurs adversaires des libéraux. Ploutocrates contre aristocrates ? Opposition réductrice[3] qui simplifie la diversité des origines, des parcours, des créolités, des fiefs et des vassalités, la cascade emmêlée des cousinages, des castes et des préjugés. Deux réflexes, voire deux impératifs, l'illustrent : on souhaite parler le meilleur français possible, pourtant la langue du colonisateur ; et éclaircir sa descendance, se rapprocher du Blanc immaculé. Pour mieux se distinguer des masses noir d'ébène enclavées dans les mornes, qui ne parlent que le créole, la langue inventée par leurs nouveaux maîtres.

Différentes, les deux élites communient dans un mépris définitif des cul-terreux auxquels elles refusent la terre, sans parler de la citoyenneté. Se cumulent les oppositions ruraux-urbains, éduqués-analphabètes, catholiques-vaudous, propriétaires-prolétaires... Complexe de supériorité, aliénation ou domination de classe : un fossé abyssal sépare les uns des autres. Bref, deux nations existent, mais ne coexistent pas, l'une niant l'autre. Au XIXe siècle comme au XXIe.

À Port-au-Prince, union sacrée contre la réforme agraire ! L'effondrement du pays viendra en partie de cet entêtement. La pression des cultivateurs ne se borne pas au défrichage des mornes ou au grignotage des terres sans maîtres. À la résistance passive succèdent des bouffées de violence. L'instabilité politique, après la longue présidence de Boyer (1818-1843), encourage les bandes armées de *Cacos*. Le pouvoir, non content de bloquer la parcellisation, taxe lourdement le café, devenu principale culture d'exportation. Il veut à la fois stimuler cette culture pourvoyeuse de devises, mais pénalise les producteurs en les rançonnant. Un exemple typique du

3. Lire les historiens haïtiens, notamment Jean Fouchard, experts sur le sujet, et également Gérard Barthélemy (voir note 3, p. 35).

fonctionnement de l'État, soucieux avant tout de pérenniser une existence parasitaire ou prédatrice pour le plus grand nombre.

L'Haïti des anciens esclaves peine à exister. Celle des anciens maîtres, malgré l'entêtement des nouveaux, n'existe plus. Ne reste qu'une réalité chaotique, de plus en plus décalée et tragique, résultat d'une maladie contractée dès la naissance. Deux virtualités s'annihilent. Et absorbent la plus grande partie de l'énergie humaine disponible. L'ordre butte sur l'inertie.

Quand le bien nommé président noir Salomon se décide à distribuer la terre, les disponibilités ont largement fondu. Les largesses que l'État a faites depuis un siècle à ses féaux, qui ne pouvaient qu'être immenses puisque les propriétés étaient réputées indivisibles, ne laissent en 1883 qu'une portion congrue à partager entre la masse des paysans, dépourvus de lopins suffisants.

Acquérir cinq hectares devient possible. Une portion qui permet de vivre. Il faut planter, ce qui va de soi, mais, pour l'essentiel, des cultures d'exportation. Qui se diversifient : sucre et café, également tabac, cacao, coton... Le sucre n'est plus ce qu'il était. Perte de Saint-Domingue oblige, la canne est concurrencée en Europe par une nouvelle venue, la betterave. Le café, dont l'essor fut fulgurant dans le dernier quart du XVIIIe siècle, fournit alors les trois quarts des recettes d'exportation du pays.

L'agriculture est en Haïti la seule source de richesse. Le négoce dénonce la chute prévisible de la productivité et l'« égoïsme » d'une paysannerie plus soucieuse d'assurer sa subsistance que celles des mulâtres maîtres des exportations. Côté comptoir, on crie à la ruine du pays par abandon des cultures rentables. Un abîme sépare toujours les deux mondes. Les *Bossales* sont la honte des Créoles.

Le modèle « indigène » de dissidence ou de fracture, égalitaire et anti-esclavagiste, progresse. La brèche est tardive, l'élite continuera à en minimiser la portée. Mais l'État n'a pas les moyens de contrôler ni de ralentir l'emprise économique et culturelle des paysans sur leur environnement, engagée bien avant la loi. S'impose une société égalitaire et pauvre. À la naissance tardive. Jamais reconnue. Ou reconnue comme contre-productiviste et contre-productive. Contre. Contre-modèle. Contre-élite. Nation fragile, non reconnue, dévalorisée, payée (ou sous-payée) pour savoir, d'expérience, que rien n'est jamais acquis.

Haïti a besoin d'argent. Pour la préserver du pire fléau. Pire que la malnutrition, les cyclones et le paludisme réunis : le retour des vrais propriétaires de l'île, les Français. Ni armistice ni traité n'a été signé.

Si le commerce n'a pas d'odeur et se pratique avec l'île à sucre, nul État n'entend reconnaître l'impardonnable blasphème que constitue l'indépendance d'une colonie d'esclaves. Cette première émancipation fait tache. Il faut s'assurer que jamais elle ne fasse école. Pour l'Europe, alors centre du monde, comme pour les États-Unis voisins, Haïti est une aberration juridique et politique. Une menace. *Rogue state*, comme on dit aujourd'hui à Washington pour en désigner d'autres, État voyou. Scélérat. Entité diabolique. Chimère : monstre qui emprunte exclusivement à l'univers animal.

La libération d'une colonie d'esclaves est-elle concevable en 1804 ? Non. Pas même envisageable. Décoloniser : le mot n'existe pas. Il serait tellement contraire au sens de l'histoire de ce XIXe siècle civilisateur ! Indépendance ? Celle-ci se conçoit à la rigueur pour des colonies ou des États blancs ou dirigés par des Blancs.

Dessalines, Christophe, Pétion et les autres s'attendent au retour des Français. Quand vont-ils revenir ? La question est vitale. Comme l'est la nécessité d'exporter à tout prix pour acquérir les devises nécessaires au conflit qui s'annonce. On trouve toujours des marchands d'armes, mais pas de prêteurs pour un pays en sursis. Au mieux, payer et emporter les canons. *Cash and carry*.

Armements. Armée sur le pied de guerre. Pour longtemps. À défaut d'ennemi extérieur qui tarde à venir, elle sera une pièce maîtresse dans la mise au pas des anciens esclaves. Une armée experte en coups d'État et dressée à faire la guerre à son propre peuple : une tradition qui aura la vie dure.

Comment les Français vont-ils venir ? Cette seconde question soulage provisoirement. Bonaparte domine l'Europe continentale. Depuis Trafalgar, il n'a plus de flotte. Les Espagnols, alliés obligés, non plus. Même sacré empereur, comment Napoléon débarquerait-il ? Le pourrait-il qu'il est trop occupé à remodeler l'Europe.

Mais après 1815 ? Les Bourbons revenus au pouvoir sont-ils inoffensifs ? Une victoire, qui ne dérangerait personne en Europe, au contraire, donnerait-elle des couleurs plus vives à leurs armoiries usées ? On le craint en Haïti. Dix ans, vingt ans après, on s'y prépare.

Christophe, à coups de corvées et, on l'a vu, au prix d'un quasi-rétablissement de la servitude, fait construire des redoutes et protège Cap-Haïtien (ex-Cap-Français) par une immense forteresse, la citadelle Laferrière. Un arsenal qui met sous le feu des canons toute flotte hostile. Pétion tente en vain de négocier avec la France. Le rapport de forces est si défavorable... Haïti n'a pas d'amis, pas d'alliés. Haïti est un État paria.

Pour conjurer le retour, une seule solution : indemniser les colons, racheter la liberté pourtant conquise par les armes. Comme les paysans français furent invités, en 1789, à racheter les droits seigneuriaux, qu'ils ne payèrent jamais. Contre reconnaissance, la République haïtienne, elle, paiera. Jusqu'au dernier franc. Le président Boyer s'y est engagé. Aucun de ses successeurs n'y faillira.

Une ordonnance, signée en 1825 par Charles X, « octroie » l'indépendance. Elle fixe l'« indemnisation » à cent cinquante millions de francs-or (environ cinq milliards de francs 2003, huit cents millions d'euros), soit l'équivalent du budget de la France de l'époque. Une France de vingt-cinq millions d'habitants face à une Haïti qui n'en compte qu'un million (le pays est, en deux siècles, passé de un à huit...). Ce qui entraîne, pour l'île dévastée, une priorité jusqu'à la fin du siècle : se procurer les devises nécessaires au remboursement. Le négociateur du roi de France n'en espérait peut-être pas tant[1]. S'y ajoute une division par deux des droits de douane sur les produits français. Conséquence : dépendance économique majeure du nouvel État à l'égard de son ancienne métropole.

« Théoriquement payable en cinq anuités, même avec sa réduction à quatre-vingt-dix millions en 1838, la dette sera éteinte seulement en 1893, les ultimes agios courant encore au début du XXe siècle. » La somme n'incluait évidemment pas les intérêts consentis aux prêteurs. Le poids de la dette, phénomène bien connu ailleurs à la fin du XXe siècle, pesa, dès ses débuts, sur le développement de l'île. Même son arriération s'explique aussi par d'autres causes : dictatures kleptomanes, administrations incompétentes, agriculture inefficace, poussée démographique, désastre écologique.

La France connut, au XIXe siècle, des régimes variés : monarchie, empire, république. Ni la IIe République, malgré Victor Schœlcher, ni la IIIe, avec Gambetta, ne songèrent à se priver de cette dîme. La révolution industrielle passa donc loin des côtes d'Haïti. Cette révolution industrielle rendue possible dans toute l'Europe de l'Ouest par les profits tirés de la traite des nègres, et point de départ de l'avance décisive et croissante des deux rives de l'Atlantique Nord.

Haïti crut gagner de la considération. Un soupçon de respect. N'y récolta que quarante lustres de quarantaine, interrompus par les appétits du vieux colonialisme européen et du jeune impérialisme états-unien. Le pays puni continua d'être humilié, par les incursions européennes, puis par vingt ans d'occupation yankee (1915-1934). Qui a su gré à la jeune république d'avoir hébergé et soutenu Simon Bolivar ? Contemporaines, les indépendances états-unienne et haïtienne ? Peut-être. Mais l'une glorieuse, l'autre honteuse.

Pendant que la bourgeoisie haïtienne renvoie à l'obscurité les anciens esclaves, l'Europe isole Haïti. La punit. La sépare du reste du monde. La renvoie dans les soutes de l'histoire. Lui interdit d'exister. Finit par nier son existence comme son histoire. En inversant les rôles, dans l'inconscient collectif. En mélangeant conséquences et causes. Ces nègres nous firent du mal. Haïti nous blessa. Haïti fut une maladie honteuse dont la France souffrit.

---

1. Voir, de Gaspard-Théodore Mollien, *Histoire et mœurs d'Haïti*, Paris, Le Serpent à plume, 2001. Mollien conte l'Haïti de 1825. La préface de l'ouvrage éclaire bien cette nécessité d'enfouir la honte faite à la France.

Honteuse. Et qui fit de l'ombre à la « patrie des droits de l'homme » autant qu'à l'épopée napoléonienne. De Rivoli à la prise de Moscou, l'Aigle invincible ne connut sur terre que succès ! Que pèsent l'armada confiée au général Leclerc, son beau-frère, et la défaite de ses divisions face à des esclaves ? Préservons aussi intacts que possible le mythe impérial et la grandeur de la France ! Le responsable est à Moscou le froid, à Saint-Domingue la fièvre ! Et le seul remède à cette première défaite, inopportune, c'est l'oubli. Et l'organisation de l'oubli, depuis deux siècles, c'est l'occultation. La stratégie du *containment* dépasse, par son succès, les pronostics les plus optimistes. Le confinement, dont l'Occident humaniste ne peut aujourd'hui tirer aucune fierté, a si bien réussi que remords ou contrition sont inutiles ou superflus. Mieux, l'événement est sorti de la mémoire collective des Blancs.

Pourquoi l'homme blanc sangloterait-il quand personne ne sait plus pourquoi il verse une larme de crocodile ? La communication, qui dispense de preuves et tient lieu d'information, est passée. Complot réussi, omerta, crime plus que parfait. L'assassin court toujours. On ne l'a jamais cherché. On l'a oublié. Instruction ? Pas besoin. Prescription ? On a même oublié le crime. Haïti n'a pas existé. Haïti n'existe pas.

On en trouve bien trace dans quelques ouvrages confidentiels, mais le président de la République française lui-même a démenti. Au détour d'une phrase décisive, n'a-t-il pas déclaré, en 2000 : « Haïti n'a pas été, à proprement parler, une colonie française... » ? Il parlait sans notes depuis la Guadeloupe...

Nos manuels d'histoire ont oublié l'événement, mais plus encore les lendemains, insupportables accrocs faits à l'histoire et à la légende. C'est en 1848 que la France généreuse, sur proposition de Victor Schoelcher, émancipe les esclaves. Qu'on se le dise ! Les États-Unis y procèdent dans la douleur quelques années plus tard, sur proposition d'Abraham Lincoln. Et reconnaissent du bout des lèvres le pays pionnier.

Pourtant, dès le 27 août 1793, Polvérel, envoyé de la Convention à Port-au-Prince, avait décrété, deux jours avant Sonthonax à Cap-Français : « Tous les Africains et descendants d'Africains de tout âge et de tout sexe [...] sont déclarés libres et jouiront dès à présent de tous les droits de citoyens français... » Une déclaration qui précède la loi de ventôse, aussi ignorée que le 1804 haïtien.

« Je veux que la liberté et l'égalité règnent à Saint-Domingue, proclamait Toussaint-Louverture. Je travaille à les faire exister... » Bonaparte, il est vrai, rétablit l'esclavage en 1802, se débarrasse du magicien qui, d'une jacquerie, fit une révolution. En vain. Ses régiments sont défaits par une armée de nègres. Haïti naît en 1804. La seule révolte d'esclaves qui jamais déboucha sur un État. Mais le paya très cher. Au propre et au figuré. Ostracisme d'un côté, espèces sonnantes et trébuchantes de l'autre.

Ce paragraphe, même bref et simpliste, les écoliers français ne le connaissent pas. Quatre manuels scolaires sur neuf[2], dans l'enseignement secondaire français, font l'impasse. Trois évoquent le rétablissement de l'esclavage et l'indépendance de l'île. Seul l'éditeur Nathan, dans un texte de quatre lignes, évoque « la première guerre de décolonisation de la France ». Aucun livre ne parle de la rançon à venir.

Il est vrai que, pour sortir de l'ignorance organisée, l'apprenti citoyen peut toujours s'en remettre aux meilleurs ouvrages de vulgarisation. Prenons *Esclaves et négriers*, l'un des plus lus. Plus la collection – Découverte-Gallimard – est prestigieuse et l'auteur reconnu – Jean Meyer, professeur émérite à la Sorbonne –, plus le lecteur s'attend à être bien servi. Présentation attrayante et iconographie remarquable, cela va de soi, mais allégeance à l'histoire officielle et erreurs magistrales, cela étonne davantage. L'ouvrage, réédité pour le cent cinquantième anniversaire de l'abolition de l'esclavage, celui de 1848, bien sûr, existe depuis longtemps. Il n'a pas l'excuse de la précipitation. Et constitue naturellement l'une des meilleures références, et des meilleures ventes, sur le sujet. Exemplaire, en somme.

Parmi plusieurs dizaines de pages sur la lutte contre l'esclavage, deux lignes sur la Convention montagnarde, un régime jugé aujourd'hui sans doute peu fréquentable, mais premier abolitionniste. Et pas un mot sur le Club des amis des Noirs et l'abbé Grégoire, son inspirateur et l'auteur de différents textes en faveur de l'émancipation. L'ouvrage fait pourtant la part belle, ce qui est bien normal, à la France et aux États-Unis.

Moins de deux pages sur la révolution de Saint-Domingue, pourtant la plus prospère des colonies. Comme si l'auteur prolongeait, à l'image des manuels scolaires de Malet et Isaac qui formèrent nos élites, l'amnésie de

2. Ces manuels sont issus des programmes officiels, *Bulletin officiel*, 31 août 2000.

deux siècles d'historiographie, adhérant (involontairement ?) à l'ostracisme dont ce pays fut longtemps victime.

Successivement, et toujours en deux pages, on apprend beaucoup : qu'en « 1802, l'Empire rétablit l'esclavage dans les Antilles » (il n'y avait pas d'Empire en 1802) ; que Toussaint-Louverture, héros de l'indépendance, « est arrêté et déporté dans le Jura, au fort de Joux. Il y meurt l'année suivante, en 1803 », ce qui est vrai ; et que « le 1er janvier 1804, Toussaint-Louverture proclame l'indépendance d'Haïti. Des deux côtés, la révolte fut d'une cruauté sans nom ». Accident ou mystère de l'histoire ? Ubiquité, résurrection provisoire ou immortalité du héros ? On s'abstiendra d'être d'« une cruauté sans nom »...

Ainsi des historiens, esclaves de l'historiographie dominante, nourrissent-ils parfois la mémoire.

Les enfants haïtiens, quand ils ont la chance d'aller à l'école, se rassemblent le soir et révisent sous les rares réverbères, si l'électricité, inconstante et capricieuse, consent à éclairer quelque part quelques heures. Ils apprennent par cœur les longs résumés de la glorieuse histoire de l'indépendance. Des textes qu'on croirait écrits par Toussaint-Louverture lui-même ou par les castes qui se partagent depuis le pouvoir.

Le manuel d'histoire de fin d'école primaire, fraîchement sorti de l'imprimerie Deschamps, est édifiant. D'abord parce qu'il porte toujours l'imprimatur de Mgr Joseph (Port-au-Prince, 1942). Ensuite parce qu'il est garanti par le label « propriété des Frères de l'instruction chrétienne », mais s'impose à tous. L'histoire, respectueuse des pires fripouilles gouvernantes, s'arrête en 1957, avec l'avènement de François Duvalier. Comme les éditions précédentes, il s'achève par la mention : « Les chapitres couvrant la période 1957 à nos jours sont en préparation. »

L'histoire n'est pas ici occultée, mais manipulée, falsifiée. Officielle. C'est-à-dire faite d'une succession de mensonges par omission. Les libérateurs devenus de nouveaux maîtres, esclavagistes dans l'âme ? La violence de la lutte des classes ? La militarisation et la corruption rampante ? L'émergence de deux Haïti, qui brident l'éclosion d'une nation ? Le double langage des élites ? L'instrumentalisation du catholicisme comme rempart contre la protestation ? Rien de tout cela n'est contenu dans le catéchisme, au service du culte des grands ancêtres. Ne garder que l'épopée, l'enrichir de légendes, le transformer en mythe. Pour mieux tenir le mouvement social en lisière.

Qui, un ou deux siècles après, s'inquiète de cette indépendance qui mène à une double dépendance ? Asservissement des masses rurales aux propriétaires et, simultanément, sujétion du nouvel État aux puissances étrangères.

On peut s'interroger : jusqu'à quel point les classes dominantes haïtiennes n'ont-elles pas participé à l'occultation, voulue par l'Occident, de l'histoire d'Haïti naissante ? En simplifiant ou en diluant la mémoire jusqu'à la porter au tombeau, sous des couronnes de fleurs rafraîchies chaque fois que nécessaire. Une manipulation définitive. Un service rendu par des exploiteurs à d'autres exploiteurs... Mais mal payé de retour.

Haïti, exemple pourtant paroxystique où l'esclave, même victorieux de son bourreau, rachète sa liberté, parce que, émancipé, il appauvrit le colon et se rend ainsi coupable de vol ! Vol avec effraction, crime de lèse-profit donc de lèse-économie ! Longtemps, Haïti, politiquement chétive et isolée, économiquement moribonde, à la merci des bailleurs de fonds, n'a pas osé revendiquer. Haïti, mauvais exemple et mauvaise réputation, existe si peu. On peut déjà le craindre : 2004 sera d'abord, ici et là, l'anniversaire de l'apogée, du sacre napoléonien, pas celui de la seule et unique gueuserie qui triompha alors.

S'appuyant sur les préjudices humains, matériels et moraux subis, le tiers-mondisme des années 1960 et 1970 estimait que le monde développé avait une dette à l'égard du Sud. On peut aujourd'hui opposer cette dette-là à celle que réclament les bailleurs de fonds à des pays étranglés. L'exemple d'Haïti, aujourd'hui le pays le plus pauvre des Amériques, est singulier. Il va bien au-delà.

Et si, aujourd'hui, la France commençait à rembourser la somme indûment prélevée pour indemniser les colons de la perte de leurs plantations ? Pourquoi les gouvernants français, si prodigues en discours protecteurs du tiers-monde, ne réviseraient-ils pas une seconde fois l'ordonnance du 17 avril 1825, revue à la baisse en 1838 ? Sept mois au total du budget de la France de 1825 ou de 2004, avec ou sans intérêts. L'année est à négocier. Le moyen aussi : une banque franco-haïtienne de développement, par exemple, hors de portée de la rapacité des gouvernants.

Préférons le paiement en quelques annuités, pour ne pas étrangler la fragile économie française. Et tenir compte, comme disent les économistes, de la « faible capacité d'absorption » du receveur, laquelle pourrait du coup s'améliorer !

Longtemps timide, le pouvoir haïtien s'est décidé à demander son dû, à la veille du bicentenaire de l'indépendance. Isolé, impécunieux et de surcroît impopulaire, le président Aristide réclame à cor et à cri la « restitution ». Et désigne la France comme bouc émissaire. Affiches, calicots et graffitis réclament à l'ancienne puissance coloniale la restitution de l'indemnité.

Mais la corruption endémique de l'exécutif haïtien en fait un piètre porte-parole et un impossible receveur. Et permet à la France, fin 2003, de créer un comité officiel de réflexion sur les relations entre les deux États, présidé par Régis Debray. Qui émettra des recommandations...

Dira-t-elle pourquoi Haïti, depuis le divorce de 1804, jouit d'un traitement de défaveur ? Pourquoi, en deux siècles, aucune éclaircie ne permit jamais la visite d'un Président ou d'un Premier ministre français dans l'ancienne colonie ? Pourquoi, quand l'un ou l'autre visite toutes les autres en quarante ans, plutôt deux fois qu'une, à commencer par les *isles* voisines devenues départements français ? Pourquoi Haïti, absente des fictions autant que des manuels scolaires, est-elle passée à la trappe ? Pourquoi une indépendance singulière exigeait-elle un traitement singulier ? Pourquoi, trois fois pourquoi ?

Haïti, un pays sans histoire en même temps qu'un État sous influence : les relations avec le reste du monde fonctionnent à sens unique. Selon le bon vouloir du monde occidental, qui sait ce qui est bon pour lui, et donc pour l'île maudite. Le XIXe siècle ne sera pas trop long pour qu'Haïti soit enfin reconnue en tant qu'État. Reconnue : le terme est à prendre dans son sens le plus formel, tant se perpétuent les pressions, les interventions et les chantages.

Le pouvoir central, même réduit à la caricature et limité à Port-au-Prince, peine à exister. Les puissances européennes pèsent encore, et les États-Unis considèrent la Caraïbe comme une cour intérieure. La doctrine de Monroe se fait fort de chasser les empires du Vieux Continent. Les routes maritimes qui mènent au nouveau canal de Panama doivent offrir toutes garanties et les riverains passer sous contrôle. *Se blan qui deside.* Le vieil adage haïtien se concrétise plus que jamais. En 1915 comme au début du XIXe ou du XXIe siècle, les méthodes diffèrent à peine.

Au XIXe siècle, les intrusions françaises, anglaises, allemandes sont monnaie courante : pressions financières ou irruption de la marine de guerre dans les eaux haïtiennes. Quant à l'oncle Sam, il se fait de plus en plus pressant : quinze interventions préfigurent la mise sous tutelle. Et la justifient !

Prenant prétexte de l'anarchie intérieure – les révoltes paysannes font trembler Port-au-Prince – et soucieux de protéger d'éventuels investissements, les États-Unis débarquent. Ils resteront vingt ans (1915-1934) pour « moderniser » le pays : premières infrastructures de communication, agriculture d'exportation étendue à des produits nouveaux comme les fruits et le sisal, intégration de la gourde – la monnaie locale – dans la zone dollar, taux de change fixe jusqu'en 1986, contrôle des finances publiques, armée restructurée, nouvelle Constitution...

La réalité de la « modernité » frappe de plein fouet les exclus de toujours : la paysannerie, les « en dehors ». La mise aux normes n'empêche pas le retour en force du Code rural et le recours à la corvée, abandonnés de fait, face à la mauvaise volonté rurale. La nouveauté de la Constitution permet surtout l'accès des étrangers à la terre. Les grandes compagnies exproprient. Ou occupent les terres prétendument vacantes, ce qui revient au même. Les paysans sont souvent des occupants sans titres du domaine de l'État, défricheurs, grignoteurs ou squatters protégés par la coutume. Ils sont des dizaines de milliers qui doivent *laisser*. Quitter leurs lopins.

En vingt ans, près d'un demi-million de ruraux doivent se transporter ailleurs, ou autrement. Différentes solutions pour eux, toutes aussi excluantes ou traumatisantes. La nouvelle gendarmerie haïtienne, encadrée par l'oncle Sam, affronte maquis et embuscades des *Cacos* : des milliers de victimes et une insécurité difficile à maîtriser. Charlemagne Péralte, qui dirige la rébellion, entre au panthéon de la résistance haïtienne à l'occupant. À l'intérieur ou en marge des révoltes, le marronnage tente de trouver de nouveaux refuges, avec l'aide de la population. Le salariat s'impose pour d'autres auprès des nouveaux planteurs, les Standard Fruit and Steamship Corporation et autres compagnies américaines. Pour la majorité, l'émigration s'impose. Intérieure ou outre-mer, saisonnière ou définitive.

Conséquence brutale de la confiscation des terres, elle annonce un mouvement permanent.

Le XVIIIe siècle fut celui de la transportation d'Afrique, le XXe celui de l'exode rural, de l'émigration intra-haïtienne, caribéenne ou nord-américaine. Cuba et surtout la Dominicanie accueillent les coupeurs de canne. Un nouvel employeur prédateur, étranger, entre en scène : le Dominicain, avec qui Haïti entretient une relation difficile et de plus en plus inégale. Qui vire au drame. L'histoire ajoute par à-coups de nouvelles scènes macabres. Les dernières sont à écrire ou à venir. La moitié orientale de l'île, moins peuplée, blanche ou métissée, considère l'Haïtien comme un Africain. Une main-d'œuvre parfois utile, mais fruste et noire. Bonne pour les *bateys*, les plantations qui se développent, c'est-à-dire corvéable à merci. Et pratique chaque fois que le dictateur local cherche un bouc émissaire aux frondes politiques ou aux revendications sociales des Dominicains. L'Haïtien, noir, étranger et voleur de travail, fait l'affaire.

Plus de dix mille Haïtiens sont massacrés en octobre 1937, sur ordre de Trujillo. Sans réaction haïtienne, sans réelle sanction internationale. Juste quelques regrets et quelques liasses de dollars perdues quelque part en Haïti avant de parvenir jamais aux victimes. À plus basse intensité, 1937 ne cessera de se renouveler. Au XXIe siècle, les meurtres d'Haïtiens continuent d'alimenter les faits divers.

La Dominicanie pèse à son tour, après d'autres, sur Haïti, devenue réservoir de main-d'œuvre coloniale. Toute proche. Il suffit d'ouvrir ou de fermer le robinet. En cas de trop-plein, on peut même inverser le flux. Mais c'est d'abord de l'empire américain que dépend Haïti. Le *blan ki deside*, c'est sans conteste le Yankee et lui seul. Un tournant définitif. Que la bourgeoisie critique parfois, dans les mots, jamais dans sa prégnance. La politique extérieure se limite, pour elle, au pourcentage des flux financiers qu'elle peut accaparer.

Occupation, protectorat, mandat : l'élite ne s'en tire pas trop mal. Ce qu'elle a perdu en patrimoine foncier, elle le récupère en commerce et en trafic d'influence auprès des nouvelles entreprises. Les masses rurales sont, une fois encore, spoliées par les néoplantations, qui occupent les meilleures terres et drainent l'investissement rural.

Jamais en deux siècles la paysannerie n'aura bénéficié du moindre concours. Le XXe siècle signifie pour elle un grand bond en arrière. Elle tient pourtant une nouvelle revanche, toute provisoire : les grandes compagnies échouent, le projet de plantations d'hévéas sur soixante mille hectares tourne au désastre écologique. Mais la parcellisation et le partage de tous les rogatons cultivables a atteint sa limite démographique. La campagne ne peut plus supporter la surcharge d'humains, si sobres soient-ils.

L'après-guerre marque une embellie. La première. Intellectuelle et économique. Et même sociale. Haïti touche, pour sa docilité et son alignement sur Washington, ses premiers dividendes. Des entreprises s'installent, le tourisme apparaît, des intellectuels visitent le pays. La corruption qui en découle fait valser les présidents. Au gré des émeutes populaires et des interventions de l'armée. Un nouvel acteur, symbole de timides progrès, fait irruption : la jeunesse scolarisée. Les élections de 1957 assurent le triomphe d'un ethnologue qui connaît bien l'univers rural haïtien, un médecin qui vient de participer à la lutte contre le pian, l'une des pandémies qui martyrisent le pays, un homme qui stigmatise les ennemis de toujours du *pays en dehors*. François Duvalier devient président.

CHAPITRE 6. LE TEMPS DES MACOUTES

La maison Duvalier (1957-1986) va marquer le pays au fer rouge : le présent durant trente années d'un système totalitaire, l'avenir en logeant un macoute dans la tête de chaque Haïtien. La réalité et la réputation chevauchent une machine dictatoriale sans faille.

L'ethnologue connaît l'élite. Il s'est même frotté à l'intelligentsia qui découvrait, à la faveur de l'occupation américaine, l'indigénisme, ancêtre de la négritude chère à Aimé Césaire, le voisin martiniquais. Une volonté naissante d'en finir avec la lâcheté et le sentiment d'infériorité à l'égard du Blanc !

L'ethnologue connaît aussi le Blanc. Il s'en méfie, mais saura se parer d'une qualité essentielle pour le seul qui compte, le Yankee du maccarthysme et de la guerre froide : l'anticommunisme. François Duvalier sera un allié sur lequel on pourra toujours compter. Plus malin que zélé. Retors. Le berger aura les mains libres, pourra même, à usage interne, critiquer l'oncle Sam, pourvu que les moutons soient bien gardés et qu'il ne s'aventure jamais sans permission hors des limites fixées par le propriétaire de la Caraïbe. Son nationalisme supportera mal les critiques sur la façon dont sont gardés les moutons.

L'ethnologue connaît surtout les masses rurales, tenues à l'écart, ces victimes permanentes, oubliées, moquées, méprisées, martyrisées, écrasante majorité d'étrangers dans leur propre pays. Il a fait siennes leurs ancestrales frustrations, plus que leurs revendications. Il est du côté de ceux d'en bas contre les *grannèg*. Il caresse les fantasmes et les préjugés.

L'ethnologue sait enfin que le despotisme le moins éclairé se maintient et se renforce en désignant des boucs émissaires. D'autant plus appréciés ou haïs – donc efficaces – qu'ils ne sont pas vraiment innocents. La « république du cauchemar », comme Graham Green définit le régime dans *Les Comédiens*, privilégie pour l'essentiel trois catégories cibles. Trois produits d'importation : les mulâtres, le clergé catholique, l'armée. Les priorités paraissent, dans l'histoire haïtienne, s'inverser tout à fait.

Convaincus d'avoir trahi la révolution, voleurs, exploiteurs et racistes – Papa Doc est lui-même profondément xénophobe –, les mulâtres sont persécutés. Quelques massacres préludent à une émigration massive. Les progrès économiques et sociaux de l'après-guerre sont vite gommés par la fuite des professionnels. Les libertés, souvent formelles, disparaissent en même temps. Pour longtemps.

Les timides protestations, en Europe et en Amérique du Nord, n'entament pas la crédibilité intérieure du dictateur. Papa Doc se sait peu fréquentable, même de la part de certains dirigeants américains, mais indispensable quand Cuba ou la Dominicanie donnent du fil à retordre aux Yankees. Il monnaiera au mieux son soutien à l'isolement castriste. Lui présent à moins de cent kilomètres des côtes cubaines, aucun risque de contagion !

La hiérarchie catholique se garderait bien de critiquer brutalement l'extinction des droits de l'homme. Mais elle est étrangère et blanche, et le clergé, nombreux depuis la reconnaissance de Rome un siècle plus tôt, est d'instinct lié aux élites détestées. L'Église catholique apostolique devra se faire moins romaine. Accepter le pire : la reconnaissance de la religion indigène, le vaudou, jamais éradiqué malgré tant d'inutiles et de grotesques croisades. La hiérarchie ira à Canossa après avoir tenté de faire trébucher le chef, le « grand électrificateur des âmes ».

La guerre dure cinq années. L'archevêque français de Port-au-Prince est accusé de « complot communiste ». Le mot est galvaudé : communiste signifie opposant. Le Vatican riposte par l'excommunication. L'enjeu est d'importance dans un pays profondément religieux. Mais, en 1966, tout finit par des génuflexions : le Saint-Siège nomme un nouveau nonce. Le concordat concède à Papa Doc tout ce qu'il désire : une Église aussi autonome que possible, un gallicanisme à l'haïtienne. Et d'abord la possibilité de nommer aux postes vacants les évêques de son choix. Des évêques noirs et macoutes, tout simplement.

Après les âmes, les hommes. Pour plier le pays sous une poigne d'acier, avant de le piller au profit d'un clan, Papa Doc ne compte pas sur l'auxiliaire habituel du pouvoir haïtien. Il se méfie de l'armée, instrument ordinaire de répression intérieure, formée par l'oncle Sam. Elle est trop habituée à faire ou à défaire les présidents pour son propre compte. Il l'affaiblit, la consigne dans ses casernes. Bref, la zombifie.

Il crée une milice entièrement dévouée, les « volontaires de la sécurité nationale ». Tontons-macoutes, en abrégé. Elle s'infiltre dans tous les secteurs de la société. Toute-puissante et bénévole à la fois. Le volontaire national doit acheter sa tenue et ses armes. Intimidation et corruption deviennent structurelles.

La fonction du milicien ? Classique : terroriser, contrôler par la peur ; dénoncer, punir. Pas seulement : les macoutes, qui se recrutent souvent dans des catégories jusque-là exclues du pouvoir, participent à une nouvelle donne qui révolutionne et démocratise la politique, habituellement confinée à l'oligarchie. Une leçon qui pourra servir à d'autres fins dans d'autres contextes. Comme, justement, l'effondrement de la maison Duvalier. La fonction du macoute est de faire peur au profit du maître, capable de faire reculer Dieu lui-même. Et chacun, ou presque, peut devenir macoute. *Apre bondye, se leta*, dit l'adage.

L'État, avec Duvalier, prend le pas sur les représentants de Dieu. Il les divise et les marginalise. Et tient parole, rare exception dans l'histoire d'Haïti, reléguant provisoirement trois poids lourds – les métis, l'armée, l'Église officielle – à des rôles inférieurs. Sous les applaudissements du plus grand nombre, il les rétrograde. Et critique sans vergogne le quatrième poids lourd, le premier en fait : les États-Unis. Bon connaisseur du fonctionnement du Blanc qu'il exècre, jouant des contradictions de la politique américaine et de la radicalisation du mouvement pour l'égalité raciale, il frôle parfois la ligne rouge de l'inacceptable, fixée par Washington. Tout cela à son profit. Les masses rurales n'en tireront aucune amélioration matérielle de leur sort. Mais...

> ... [elles] prêtent sans rechigner leur concours au remplacement de l'ancienne organisation sociale, fondée sur le clivage entre l'élite et le peuple, par un système d'allégeances et de clientélismes qui recoupent largement les organisations parentales, économiques et religieuses préexistant au sein même du peuple, et qui par conséquent donnent aux masses le sentiment d'une familiarité plus grande avec le pouvoir. C'est pourquoi il est plus souvent moins exact de dire que les tontons-macoutes oppriment le peuple que d'observer que chacun dans le peuple s'efforce désormais de compter un ou plusieurs tontons-macoutes dans son cercle de relations, à défaut de pouvoir soi-même en devenir un[1].

Haïti a connu bien des dictatures. Celle-là, méticuleuse et organisée, se fait tour à tour idéologue et apprenti sorcier. S'appuyant sur le ressentiment populaire, la terreur et l'obscurantisme deviennent systèmes. Se développe un totalitarisme du sous-développement. Aucun mouvement social ne pourra éclore. Bastonnades, rafles, tortures, mort-vivants de Fort-Dimanche, cadavres livrés aux chiens : la terreur est terrible, permanente, inexorable. Nul greffier n'a vraiment tenu les registres de la mort. Les Duvalier père et fils seront responsables de plus de trente mille morts en trente ans.

Papa Doc, à la manière d'autres autocrates, se proclame président à vie, organise une succession monarchique et un grotesque culte de la personnalité : il est « être immatériel », « apôtre du bien-être collectif »... Surtout, il ancre dans les mentalités cette prééminence du chef dont tout découle, cette verticalité absolue à sens aussi unique que la loi de la pesanteur. Le système tue les corps intermédiaires. Le fait du prince, la raison d'État, bref l'arbitraire, sont vécus comme la norme. Ce qui existait déjà, il le perfectionne.

Ces comportements, conformes à l'histoire d'Haïti, se heurtaient à la faiblesse du pouvoir central et à la résistance passive des prolétaires ruraux. Port-au-Prince n'avait pas les moyens de sa politique. Duvalier prouve que le chef peut tout. Une croyance qui n'est pas prête de sortir des têtes, et qui altérera ultérieurement toute avancée démocratique. La centralisation maximale, qui marginalise les autres centres urbains et plus encore l'espace rural, laisse chaque commune entre les mains d'un petit Duvalier local, le chef de

1. André-Marcel d'Ans, *Haïti, paysages et société*, Paris, Karthala, 1987.

section, qui ordonne, juge et rançonne dans son fief comme il l'entend. Encore une donnée qui aura la vie dure, même quand l'édile sera élu.

À en croire la Réserve fédérale américaine, les Duvalier auraient détourné près de huit cents millions de dollars en trente ans, soit le tiers de l'aide internationale pendant cette période. À cette somme, définitivement dilapidée, s'ajoute le plus gros de la dette, contractée alors, et qui pèse toujours, en intérêts, pour un septième du misérable budget haïtien.

Car avec Jean-Claude, le fils, la « révolution économique » succède à la « révolution politique », selon ses propres termes. Ce qui change, ce n'est ni la répression politique ni la censure, même quand la vigilance s'assoupit un temps, fugace concession aux promesses de libéralisation. Ce qui change vraiment, comme le signale l'historien Michel-Ralph Trouillot[2], c'est « l'intensité des liens entre l'État et le capital local et l'accroissement de l'appui du gouvernement américain ». Une main-d'œuvre abondante, accourue dans les bidonvilles de Port-au-Prince, permet un début d'industrialisation autour des usines d'assemblage. Ainsi qu'un éphémère essor touristique. La spéculation foncière et les trafics d'influences réconcilient parfois ancienne et nouvelle « élite ». On souscrit au laisser-aller laisser-faire après avoir adhéré au catéchisme nationaliste liberticide. Mieux, aux deux dogmes à la fois.

L'investissement continue d'ignorer la protection sociale, inexistante, et les infrastructures de communication, généralement délabrées. Baby Doc, tout aux implantations américaines délocalisées, oublie le noirisme et se défausse sur les ONG de la mauvaise santé des Haïtiens. *Business first.* D'énormes fortunes s'arrondissent autour du dictateur qui mène grand train de vie. Le détournement de l'argent public, sport national depuis 1804, pulvérise tous les records. L'aide alimentaire internationale, que les autorités savent attirer, est détournée sans scrupule.

Malgré les avantages fiscaux et les salaires de misère, les *factories* n'absorbent pas un exode rural qui s'accélère. Même quand Haïti se hisse à la première place pour la production de balles de base-ball, la misère reste chronique. Les instruments qui la mesurent convergent. Baby Doc tente de jouer

2. Michel-Ralph Trouillot, *Haiti, state against nations : the origins and legacy of Duvalierism*, Monthy Review Press, New York, 1990.

sur la soupape de sécurité, voire de rationaliser et d'encourager l'émigration. Il vend les paysans haïtiens à la Dominicanie. Légalement : quinze mille *braceros* par an pour la *zafra*, la récolte de la canne, sur lesquels il prélève sa dîme. Leur condition sera proche de l'esclavage, comme celle des dizaines de milliers d'illégaux qui franchissent la frontière, tous sans la moindre protection politique et sociale. D'autres, *boat people*, tentent leur chance vers l'eldorado nord-américain où sont installés nombre de leurs compatriotes.

Quand le monde change, Haïti, elle, est toujours coupée en deux nations qui vivent dos à dos. Atteinte de sclérose. Elle paraît figée, paralysée dans un Moyen Âge aux contacts ténus avec le XXe siècle. Paraît...

Les résistances ont longtemps peiné à s'exprimer. Mutations économiques, poussée démographique, exode intérieur et extérieur, rôle d'une diaspora sous influence démocratique : le « pays en dehors », souvent révolté dans le passé et qui semblait assoupi, s'éveille lentement. La jeunesse des villes est plus perméable aux apports de l'outre-Haïti. Elle renoue avec la prise de conscience des années 1950. La morgue des oligarques radicalise les minorités actives, et ce, malgré la répression.

À la fin des années 1970, l'Église catholique, celle des communautés de base inspirées par la théologie de la libération qui déferle sur l'Amérique latine, va fournir le cadre, les militants, puis les troupes. Contre la hiérarchie macoute, embarrassée. La dimension religieuse a toujours été vitale. Alors que les *hougan*, les prêtres vaudous, pactisent souvent avec le duvaliérisme, les *ti-legliz*, les petits de l'Église, annoncent un Évangile libérateur. Ici et maintenant. Une génération, ou au moins une avant-garde, tout imprégnée d'une réalité sociale infra-humaine, réclame des droits et une justice. Stimulées par le *fok sa chanj*, que le pape a invoqué en 1984 en terre d'Haïti, de nouvelles forces d'opposition jaillissent, autrement jeunes et enracinées dans le terroir et la ceinture de la capitale que les opposants traditionnels, aussi courageux qu'isolés.

La situation sociale se tend. Trop connu, le gaspillage de l'aide isole le régime. Ce qui, quinze ans auparavant, serait passé inaperçu, le meurtre de trois écoliers par des militaires, déclenche une situation insurrectionnelle en novembre 1985. Au fil de dix semaines de grèves, d'agitation et d'émeutes permanentes, puis du massacre de Léogane, le régime se délite. La kleptocratie tangue. Elle a perdu une partie de ses soutiens intérieurs.

Surtout, le régime est lâché par Washington. On y est convaincu depuis longtemps de la médiocrité politique de Baby Doc, de la cupidité de son clan familial, on craint surtout une radicalisation sociale incontrôlable. On donne donc le coup de pouce nécessaire. Pas besoin d'intervenir façon 1915. Il suffit de couper la pompe à finances.

Mais l'objectif américain n'est sûrement pas celui des foules révoltées. L'oncle Sam veut faciliter, en collaboration avec l'armée et certains secteurs duvaliéristes, une transition qui maintienne la tutelle séculaire et les équilibres économiques en vigueur.

L'appel à une *deuxième indépendance*, dirigée contre les prédateurs habituels d'Haïti, inquiète. Indépendance pour qui, ou contre qui ? Le mot prend une connotation « lutte de classes ». Les *ti-legliz* et la floraison de mouvements qui jaillissent des bidonvilles, puis des mornes, voire de la « bourgeoisie à talent », comme aurait dit Voltaire, signifieraient un saut vers l'inconnu, une modification des équilibres bicentenaires. La fin des privilèges. L'aventure en terrain inconnu. Les détenteurs habituels du pouvoir n'envisagent pas la moindre nuit du 4-Août. Ne la redoutent pas vraiment, confiants qu'ils sont dans l'éternel parrain.

La transition est pourtant difficile à initier. Un Conseil national provisoire assume le pouvoir. Sa composition révèle vite ses intentions. Les anciens macoutes et les militaires, définitivement revenus aux avant-postes, préfigurent la continuité. Priorité révélatrice : Washington rééquipe l'armée avec du matériel anti-émeute.

Mais, cette fois, la politique haïtienne peine à rentrer dans ses classiques costumes sombres ou ses fringants uniformes militaires. Comme s'ils avaient rétréci suite à un imprudent lavage. Coups d'État, massacres de manifestants, arrestations, médias entravés, élections truquées ou électeurs mitraillés : de 1986 à 1990 se multiplient les tentatives des factions embusquées dans l'appareil d'État. Leur objectif : canaliser, contrôler, voire écraser l'effervescence sociale. Telle la mer où une vague succède inexorablement à une autre vague, elle ruisselle jusqu'aux portes du pouvoir. Ou des pouvoirs : militaire, macoute, ploutocratique, catholique, étranger...

Condamnée pendant trente ans à la clandestinité, la contestation radicale est essentiellement véhiculée par les *ti-legliz*, point de départ récent d'une multitude d'organisations populaires. Communautaires ou rebelles.

Un mouvement populaire inédit prend forme, d'où jaillissent de jeunes dirigeants animés d'une mystique de justice, encouragés par des prêtres aux allures de militants et de prophètes.

Le mouvement n'est ni centralisé ni doté d'une organisation autonome ou même d'une stratégie politique claire. Il s'apparente plutôt à une prolifique nébuleuse d'organisations de base, d'associations de quartier, de radios alternatives, de syndicats paysans, portée par une immense espérance et une soif de changement sans précédent. Écho d'un même désir qui franchit les mornes sinistrés d'Haïti : accéder enfin à cette citoyenneté, dite avec d'autres mots, mais manquée en 1804 ; faire irruption sur la scène de l'histoire. Qu'enfin, comme le répète le père Aristide, l'un des prêtres les plus radicaux, « tout homme soit un homme ». Fini le temps des Haïtiens en lisière, celui du *pays en dehors* ! Remplacé par un acteur social qui ne soit plus à part, mais à part entière ! D'où l'extraordinaire potentiel révolutionnaire, la soif de transformation qui va sourdre de ce mouvement. D'où la grande peur qu'il déclenche chez les tenants du *statu quo*.

Haïti entre dans le temps des turbulences, le temps des *dechoukaj*. La vieille alliance des nantis, que Papa Doc avait modifiée ou neutralisée à son seul profit, jugeant seul des compromis, tente de reprendre les rênes. Veut s'imposer. Ne peut qu'improviser tant l'adversaire est imprévisible. Cinq ans durant, le cartel des privilégiés colmate ces digues de mépris ou de répression, qui résistent à l'orage avant de céder au cyclone.

Les élections, passage obligé pour valider les *pronunciamientos* qui se succèdent, tournent à la bouffonnerie, à la manipulation ou au drame. Elles sont pourtant incontournables. Exigées par un acteur nouveau : l'opinion publique. Nationale ou internationale. Jamais Haïti n'a autant fait la une de la presse mondiale. Écho des médias locaux, radios en tête, en plein essor, malgré les risques. Haïti, pour la première fois, se refait même une réputation. Existe. La chute du communisme dévalorise les mafias, censées préserver d'un fléau qui a disparu. Cette fois, l'espoir d'un nouvel ordre international, le vent de la démocratisation, la défense des droits de l'homme concernent également Haïti.

Élections libres, législatives et présidentielle, comme le souhaite la communauté internationale, avec quelques arrière-pensées quant au choix du meilleur candidat... Un laborieux processus y mène. Un Conseil électoral provisoire, prévu par la nouvelle Constitution, les organise. L'armée, usée par les *pronunciamientos* et les divisions internes n'en peut mais. Elle n'a plus les moyens de s'y opposer. Washington, d'ailleurs, lui fait les gros yeux. Et rassure ses alliés traditionnels, bourgeoisies marchande et terrienne. L'oncle Sam a son agenda, son candidat. La tranquille certitude que *se blan ki decid*.

Deuxième partie
La révolution avortée

Aveuglé par l'argent ou obnubilé par le pouvoir, on perd toute pudeur. Trop d'hommes politiques ne méritent pas ce vocable. Ce qu'ils condamnent dans la vie domestique, ils le pratiquent allègrement dans la vie publique.

Jean-Bertrand Aristide
Dignité, Seuil, 1994

CHAPITRE 7. LE PRÉSIDENT MARIÉ AU PEUPLE

Kominike : Titid prezidan, scande la foule au lendemain du 16 décembre 1990. Jamais élections haïtiennes n'ont été aussi observées. Par le biais d'une kyrielle d'institutions et d'associations, l'ONU supervise. Triomphalement élu par le peuple des mornes et des bidonvilles, le père Jean-Bertrand Aristide entre au Palais national cinquante jours plus tard.

Depuis la déconfiture de la maison Duvalier, les Occidentaux ont cherché l'homme ou le système acceptable. Qui fasse au moins semblant d'adhérer aux valeurs triomphantes de la démocratie représentative. En vain. La lente dégringolade économique de l'île, l'incurie des généraux qui engendrent les révolutionnaires plus sûrement qu'ils ne les combattent, tout cela incite Washington à pousser les feux.

De ce trop-plein de prétendants, de cette vacuité ou de cette illégitimité du pouvoir jaillit un combattant aux avant-postes depuis cinq ans, un militant qui refuse les compromis, qui exige une lutte sans merci contre les séquelles de la dictature. Un rebelle qui vitupère l'« impérialisme américain » ou les « monseigneurs » macoutes. Un homme qui ne correspond pas à la recette mitonnée par les chancelleries. Bref, un homme qui demande qu'on fasse table rase. Un homme plus qu'un homme, dans la catholique Haïti : un prêtre... que les électeurs, souvent néophytes, considèrent comme un prophète.

« Nous avons gagné et ce nous collectif n'est pas démagogie : l'élection triomphale du prêtre est avant tout un acte d'exorcisme par les Haïtiens de leurs propres démons[1]. » Cette relation fraternelle autant que paternelle, extra-ordinaire, magique, dans un pays qui paraît cumuler les inconvénients de l'Afrique et de l'Amérique, le cercle vicieux du sous-développement et du chacun pour soi, peut être source d'expériences nouvelles ou de dérapages incontrôlés.

La théologie de la libération parvenue au faîte du pouvoir, ou ayant « délégué » l'un des siens, peut-elle assumer de telles responsabilités ? Habituée à prêcher l'Évangile, à contester des systèmes inégalitaires et corrupteurs, voire à organiser des contre-pouvoirs, est-elle capable de proposer une alternative de gouvernement ?

> Aristide, par son prestige, pourrait vouloir assumer tout le pouvoir. A-t-il été élu pour cela de façon aussi massive ? Rien dans son style ni dans sa campagne électorale ne laisse percevoir de volonté dictatoriale. Le voudrait-il que ses électeurs n'hésiteraient pas à lui demander des comptes. Haïti aujourd'hui veut évoluer vers un système démocratique.
> Aristide, poursuit Gérard Barthélemy, n'était pas prêt à se présenter. C'est le vide créé par la lâcheté des partis qui l'a décidé. Le pays peut s'être trompé, le président peut céder à la tentation de la dictature. Reste qu'il ne s'est pas présenté avec cette intention et qu'il n'a pas été élu pour cela. Une volonté absolument neuve dans l'histoire du pays !

Tout est dit, sur l'état d'esprit, ou l'état d'espoir de l'ancienne Saint-Domingue : une prise collective du pouvoir, une expérience aux acteurs et aux réseaux multiples. Sans eux, Aristide n'est rien. Les origines du « prêtre-président », comme aiment à l'appeler les médias, plus présents cette fois, le différencient également des hommes politiques : lettré et polyglotte grâce à sa longue formation chez les salésiens, il n'appartient pas à l'élite.

Le choix prioritaire des pauvres le transforme en porte-parole des damnés de la terre. À la différence de ses confrères en politique ou de ses supérieurs en religion, ce qu'il dénonce, il l'a vécu au quotidien. Il parle le langage du peuple, soutenu par un charisme exceptionnel. Comme Saint-Just, « il croit ce qu'il dit ». Et le dit en créole, la langue de tous, avec humour et force images. Cet homme habité d'une foi, d'une force de conviction irrépressible peut rassurer ou inquiéter : sectarisme ou altruisme ? *Titid* occupe un espace qu'ailleurs les hommes politiques ou

1. *Libération*, 18 décembre 1990.

les professionnels de la communication lui envieraient. Il a construit une force populaire longtemps sans structure, à côté, ou contre, de nombreuses structures sans force.

Un démagogue, un futur tyran, un illuminé, un communiste, un mélange de Robespierre et du Che ? Un descendant de Toussaint, de Christophe ou de Charlemagne Péralte ? Il n'a que trente-sept ans, mais s'en sort mieux pour l'instant que les exemples mythiques auxquels on le renvoie. La répression l'a plutôt stimulé. Son sens de la geste et du verbe en font un orateur infatigable. Toujours en mouvement, malgré une physionomie d'étudiant prolongé, malingre, dont on attend qu'il finisse de grandir. Mais le regard dit la détermination. La sérénité apparente du prêtre fait vite place à une argumentation imperturbable, accusatrice, implacable. Pas toujours charitable.

Don Quichotte s'attaquant à plus fort que lui, Aristide aurait dû mourir. Véritable miraculé après plusieurs attentats manqués, rescapé de Saint-Jean-Bosco, son église brûlée en pleine messe par les macoutes, il apparaît plus que jamais comme la « dernière âme pure du pays ». La dernière chance ? L'ultime espoir d'un peuple patient ?

Il lui promet de passer de la misère indigne à la pauvreté digne. Juste retour à la revendication des masses rurales au lendemain de 1804. Il annonce la démocratie, un vocable qui plaît outre-Atlantique, mais dont les formes restent floues. Ses ouailles comprennent justice. La soif de justice est en Haïti inextinguible. Jamais elle n'a été étanchée.

Titid promet peu aux siens. C'est nouveau. C'est signe d'une relation de confiance tout étrangère à la tradition haïtienne. Comme si le peuple avait lui-même choisi et imposé le candidat, ou plus, était le candidat. Ou, puisqu'il faut bien voter, le *blan* y tenant tellement, comme si on était candidat tous ensemble. Le fameux *tèt ansanm*. La campagne électorale est d'abord communion, la démocratie promise ici sera haïtienne, puisque la signification et la symbolique sont venues d'en bas.

Élu par les deux tiers des électeurs dès le premier tour, mesure-t-il qu'il s'agit plus de transformer que de gouverner une société inégalitaire, archaïque et féroce ? Tel quel, l'appareil d'État est incompétent, conçu pour la répression et rétif au changement. La force du mouvement ne se mesure pas que dans la rue. D'autant que le gros des troupes n'est arrivé que sur le tard. Néophyte en politique, il sous-estime la fragilité de l'entreprise. Peut-il refuser les exigences des formations politiques, celles du Front national pour le changement et la démocratie (FNCD) qui l'a investi, et qui domine les Chambres ?

Lavalas, c'est le nom du mouvement qui le porte. Le grand nettoyage, l'avalanche qui emporte toutes les scories du passé, le torrent des désirs de changement. Qu'il faut canaliser, orienter, structurer, politiser ! Le programme définit plus des intentions que des objectifs concrets : justice, transparence, participation. Un triptyque qui doit faire converger vers une nation plus solidaire les deux sociétés qui se perpétuent en s'ignorant.

Comment le mettre en branle ? *Titid* alterne les exigences de table rase et les appels au calme. Révolution rime avec conciliation, ou réconciliation. Dénonce-t-il la cupidité des nantis qu'il les prie aussitôt de gagner de l'argent en investissant en Haïti ! Révoque-t-il tout l'état-major militaire qu'il appelle ensuite au mariage du peuple et de l'armée ! Un double discours tactique ? Qui entérine un environnement difficile ? Ou qui masque l'absence de projet ou le poids de contradictions sous-évaluées ?

L'ennemi est pour l'instant affaibli. *Titid* choisit-il, dans la transition vers la démocratie, la persuasion plutôt que la contrainte ou la violence ? L'habit présidentiel permet-il de se transformer en arbitre d'une société aux mutations périlleuses ? Dans un contexte géopolitique contraignant, il dispose de peu d'atouts maîtres : sa légitimité, la confiance des Haïtiens ; et le respect de l'extérieur.

La classe politique, FNCD compris, tient peu de place autour de lui. Des amis proches, fidèles de toujours, des chrétiens engagés, laïques ou clercs, se mêlent à des démocrates et à des techniciens libéraux ou progressistes. Peu de place au gouvernement pour la classe politique. Le mouvement populaire organisé est lui-même sous-représenté. La bonne volonté d'humanistes éclairés paraît l'emporter sur l'organisation des masses. Et pourtant, la sans-culotterie, la gueuserie en mouvement est un formidable levier, en même temps qu'un appel à transformer l'exaltation collective en autant d'initiatives ou de propositions de changement. L'enthousiasme est vertu ou capital révolutionnaire, à condition de le transformer en investissement profitable à un mouvement dont on se hâterait de définir les objectifs.

Les défis sont immenses : inertie économique, désorganisation sociale, économie informelle, terres usées, droits sociaux inexistants, système de santé moribond, corruption, analphabétisme, extrême misère. Toutes les calamités du tiers-monde sont rassemblées ici. Alourdies par une dictature trentenaire. Les tensions s'aiguisent entre pouvoirs traditionnels et exigences populaires. Le candidat américain, Marc Bazin, a été largement défait. Les tenants de l'ancien régime ont perdu une élection, mais pas leur hégémonie. Présents dans les lieux stratégiques de l'édifice social, ils restent puissants. Et le savent. Deux siècles de domination... Leur capacité de nuisance est intacte.

Les quatre A, comme les définira Aristide dans son premier exil de Caracas, n'ont pas l'intention de faire sa place à ce nouvel acteur qui n'a cessé de tenir la rue. Et qui se croit chez lui au Palais national.

Les quatre A rassemblent le cartel des privilégiés. A comme argent, armée, Amérique. Auxquels s'ajoute un quatrième, chargé de donner à l'alliance un zeste de légitimité morale, à grand renfort de philosophie scolastique : autorités ecclésiastiques.

L'argent, c'est évidemment l'oligarchie. Une poignée de grandes familles haïtiennes. Chacune à la tête d'un ou plusieurs monopoles, garantis moyennant finance par les politiciens et l'armée. Le 1 % qui détient la moitié des richesses confisque la totalité du pouvoir. Et répugne à un État de droit qui déboucherait sur la renonciation aux pratiques esclavagistes. Aristide représente le summum de tout ce que déteste la classe dominante, à commencer par sa basse extraction sociale. Comment un petit curé qui ne sait pas gérer une paroisse (n'a-t-il pas été viré de son ordre ?) dirigerait-il l'État ? L'oligarchie ne peut s'habituer au nouveau paysage. Elle attise le feu, à la recherche d'alliances renouvelées avec des alliés sûrs.

Du côté de l'armée, par exemple ! Affaiblie par la dernière dictature, celle du général Avril, cassée par la rotation rapide au sommet et le mécontentement de sa propre piétaille, elle a besoin de temps pour retrouver du crédit. Aristide fait confiance à son nouveau chef, le général Cédras, qui a joué le jeu électoral. Une performance, même si la pression internationale ne lui laissait guère de choix ! À peine requinquée, l'armée ! Dans l'expectative !

Tout comme les autorités ecclésiastiques, empêtrées dans leurs complicités duvaliéristes. Elles se heurtent aux centaines de prêtres qui soutiennent *Titid,* l'un des leurs. Mgr Ligondé, archevêque de Port-au-Prince, dénonce « la manipulation de ceux qui préconisent la violence pour changer la société ». Impliqué dans la tentative de putsch qui précède l'investiture d'Aristide, il fuit Haïti.

Restent les États-Unis d'Amérique. Leur influence est capitale. À cause des moyens considérables et variés dont ils disposent : économiques, politiques, militaires. Interlocuteurs privilégiés, indispensables parrains, ils sont un passage obligé. Et reconnus comme tels par tout Haïtien réaliste. Ils avaient parié sur les élections. Et sont les responsables de leur malheureuse issue. Un moment pris de court, voire hébétés par leur encombrante et incompréhensible confiance en soi, ils se reprendront, disposant d'une riche panoplie de moyens de pression. Ils jouent la légalité, mais restent fidèles en amitié à la classe dominante !

La confiance des Haïtiens, leur patience bonne enfant, le crédit qu'ils consentent sans barguigner aux nouveaux gouvernants transforment l'atmosphère d'Haïti. Et d'abord de sa capitale hypertrophiée. L'impression qu'on va enfin déplacer les montagnes. Que les énergies de l'espoir se libèrent. Les ministères bruissent toujours de la clameur des demandeurs d'emploi, mais aussi de projets et de chantiers.

L'appel à la « révolution sociale » se traduit dans les faits : nouvelle campagne d'alphabétisation, lutte contre la vie chère, hausse du salaire minimum, début d'épuration de la fonction publique, abolition des chefs de section, amélioration de la sécurité, chasse aux narco-trafiquants, augmentation des recettes fiscales ou économiques de l'État... La justice, généralement fictive et toujours indulgente aux gros bonnets, tente de reprendre du service.

Les premiers investissements s'annoncent. Haïti sort de son isolement. Surtout, la communauté internationale est favorablement impressionnée. Elle soutient l'entreprise amorcée le 16 décembre 1990. Elle a garanti les élections. Elle promet de parrainer le nouveau régime. Le nouvel ordre international appelle, en principe, à conjuguer développement et démocratie. Une chance pour une Haïti à la réputation toute neuve. Les médias étrangers manifestent un intérêt, voire une sympathie étonnée, pour le nettoyage engagé. Soucieux de personnalisation, ils trouvent, avec ce « prêtre-président » au parcours atypique, un sujet en or.

Contribution, aide, coopération : les promesses, toujours lentes à se concrétiser, affluent. La France triple son soutien, l'Union européenne est le premier bailleur, la diaspora cherche à établir des ponts, quelques compétences rentrent au pays.

État de grâce et kyrielle de réformes. Ou de tentatives. Appelé partout, le gouvernement éteint les feux, mais ne définit ni les priorités ni son articulation avec le mouvement social. Un mélange de bonne volonté, de précipitation et d'improvisation. Rompre avec le passé : on peine à dépasser le stade incantatoire. Symbolique. Le symbole est essentiel en Haïti. Il nourrit plus qu'ailleurs. Mais ne suffit plus.

Quand Aristide dénonce « le sang haïtien qui sert à produire le sucre amer » en Dominicanie, autrement dit la condition indigne faite aux émigrés des *bateys*, il n'anticipe pas les conséquences. Le dictateur voisin expulse *manu miltari* le trop-plein de prolétaires trop noirs. Des milliers d'Haïtiens déferlent tout nus, les relations se tendent avec un voisin malcommode, puissant et naturellement hostile au réveil impulsé par *Lavalas*. Côté Aristide, justice, mais impréparation. On pourrait accumuler d'autres maladresses tout aussi légitimes...

Réussir l'impossible. Et vite. Les obstacles demeurent. La Constitution haïtienne, par réaction aux dérives de l'exécutif, est plutôt parlementaire, même si les Haïtiens sont persuadés qu'un président élu au suffrage universel est forcément le patron. Et le patron, fort du soutien incontestable des masses, répugne à se soumettre aux lenteurs des Chambres. Surtout quand elles se révèlent procédurières, puis hostiles. Comme si rien ne pressait. Dans un pays où l'on n'a pas légiféré depuis des lustres, les projets de loi s'amoncellent. Les sénateurs, veules et vénaux, bloquent le train des réformes. Le gouvernement est formé pour l'essentiel d'une équipe de campagne qui les exclut. Les parlementaires, bousculés par la rue, trouvent des encouragements auprès de la « bande des quatre ». La rumeur est en Haïti élément d'information fondamental. Elle court, la rumeur de coup d'État. Persistante dans l'étouffement de l'été.

Le gouvernement souhaite transformer l'armée d'Haïti, multifonctionnelle en théorie, en fait très spécialisée en coups d'État, en deux corps distincts : une force militaire et une police. La Constitution de 1987, encore inappliquée dans ce domaine, l'a prévu. C'est l'intérêt de tout gouvernement de tordre cette épée de Damoclès.

L'armée, ici-bas, c'est l'ordre social et moral. Le contraire de la « révolution sociale », toute neuve, donc brouillonne et prometteuse. Danger pour les quatre A : les concours internationaux, immédiats ou différés, pourraient donner du souffle à *Lavalas*. Il est temps de se rapprocher d'alliés de circonstance ou de longue date, qui pourraient favoriser le blocage politique, acculant l'exécutif à la faute. Déstabiliser en s'appuyant sur des hommes qui bénéficient aussi de l'onction populaire et de la légitimité démocratique.

Les *zen*. La rumeur de mutinerie succède à la rumeur d'une collecte de fonds par les grandes familles. Au profit de l'ordre démocratique menacé ! Dans la soirée du dimanche 29 septembre 1991, la rumeur se transforme en bruit d'armes automatiques. Les radios, avant de s'éteindre, appellent à la vigilance et annoncent l'imminence du coup. Il est en marche. Son but : éliminer Aristide, victime d'une bavure, d'un malheureux hasard bien organisé. Les commanditaires se seraient ainsi dégagés d'une responsabilité encombrante. Les *pronunciamientos* passent mal, en ces années 1990 purifiées par l'exigence ou les apparences du droit.

Le maquillage échoue, le coup réussit. Le plus sanglant de l'histoire d'Haïti. Les militaires l'ont compris : il faut empêcher que les manifestants ne se rassemblent. Venus massivement soutenir leur président, cible facile des *uzis*, ils n'ont que le temps d'improviser de vagues barricades. En quelques jours, des milliers de victimes. Cité-Soleil est accablée. Les escadrons de la mort y séviront longtemps. La terreur écrase toute velléité de résistance. Déclenche même un vaste exode urbain.

Le mouvement populaire écrasé, le président rescapé mais en fuite au Venezuela dès le 30 septembre, le gouvernement réfugié à l'ambassade de France, l'embarras du représentant américain : l'expérience aura duré huit petits mois.

Ni le gouvernement haïtien ni la communauté internationale n'ont su anticiper l'événement. Discours, menaces, hésitations, directives floues ou contradictoires : les dirigeants de *Lavalas* ont improvisé. Comme si l'hypothèse n'était pas concevable. Ou comme si l'armée et ses commanditaires s'étaient assagis. Dans les cafés, qui sont rares, ou dans les rues-agoras des quartiers populaires, autour d'une radio, on ne parlait pourtant que du coup à venir. Depuis des semaines.

Tout aussi piégés, les amis, plus ou moins sincères, d'Haïti. La France, chef de file naturel de l'Union européenne, a accru son rôle et beaucoup misé sur le nouveau pouvoir. Les fraîches et fragiles démocraties latino-américaines ont beaucoup à perdre du succès d'un putsch. L'organisation des États américains (OEA) vient même de prévoir des mesures coercitives contre tout pouvoir issu des baïonnettes.

Autrement ambivalents sont le rôle et les motivations des États-Unis. Les centres de pouvoir y sont multiples, la place d'Haïti n'est pas telle qu'un feu vert de la Maison Blanche ait été nécessaire. La plupart des officiers supérieurs, à commencer par Cédras, ainsi que quelques élus sont appointés par la CIA. Les relations de l'ambassadeur Adams, adversaire militant de *Lavalas*, avec les trois autres A sont quotidiennes. Pour ce vétéran de la guerre froide, Aristide est un Castro potentiel. Adams ne peut pas ne pas savoir. Il sait. Tout comme la CIA, en retard d'une guerre[2].

Pourtant, la brutalité même du coup d'État inquiète l'administration américaine. Il fait « mauvais genre ». Inacceptable tel quel. L'important, l'urgent ? Se mettre hors de cause. La Maison Blanche n'a jamais considéré le père Aristide comme un « bon » président, mais se dédouane *illico presto*. « Les putschistes ne tiendront pas huit jours », annonce-t-on. Le président Bush les accuse ni plus ni moins de « menacer la sécurité, la politique extérieure et l'économie des États-Unis ».

La condamnation internationale est sans ambages. Jean-Raphaël Dufour, l'ambassadeur de France qui sauva Aristide d'une mort probable, traite les généraux de « pilleurs de coffres-forts » et de « voyous ». Les diplomates abandonnent la litote. L'OEA est chargée de rétablir l'ordre constitutionnel. Commence un embargo commercial. Les réserves de l'île en carburant ne dépassent pas un mois.

Les conseils de modération politique, comme les pressions économiques, dissuadent Aristide de réclamer une intervention militaire. Les États-Unis n'en veulent pas, donc l'OEA non plus. Aristide, isolé à Caracas qu'il quitte pour Washington, croit aux vertus de l'embargo. À l'intérieur,

2. Dans notre ouvrage Aprè bal, tanbou lou, *cinq ans de duplicité américaine en Haïti (1991-1996)*, nous avons patiemment analysé, Pierre Mouterde et moi, la mécanique du coup d'État et le rôle de chacun. Celui de l'ambassadeur américain, controversé, est pour nous indiscutable : inspirateur, acteur, entremetteur, logisticien ? Reste aux historiens le choix du ou des qualificatifs. Nous renvoyons les curieux aux chapitres III et IV.

ses partisans parent malaisément à la répression. Il n'a pas d'autre solution que de « coller » à la communauté internationale.

Deux ans après, la junte militaire est aussi solide qu'isolée. Un seul État la reconnaît, le Vatican. Clinton remplace Bush. Il a promis de restaurer la démocratie en échange du contrôle des réfugiés. Le flux des *boat people*, la seule véritable inquiétude des États-Unis ! Après Antoine Izméry, financier de la campagne d'Aristide, enlevé devant des diplomates, Guy Malavy, ministre de la Justice, est assassiné avec ses gardes du corps le 14 octobre 1993. Comme tant d'autres. Michel François, le chef de la police, et ses groupes d'*attachés* ont bien visé : le premier était le plus riche et le plus déterminé des partisans du père Aristide ; le second était chargé du lourd dossier de la création d'une nouvelle police.

En fait, rien n'a changé depuis l'élection d'Aristide. Les centres de pouvoir américains, même concurrents, tentent de résoudre la même équation : trouver une solution autre que les généraux haïtiens, décidément peu fréquentables, ou le « populiste président Aristide ». Le tout dissimulé derrière un formidable rideau de fumée verbal. Leurs rodomontades avaient décidé l'OEA à imposer un embargo contre Haïti et les autorités de fait. D'abord sévère, celui-ci s'enrichit en deux ans d'exceptions et d'assouplissements en tout genre. Très dur pour les humbles, disloquant une économie déjà moribonde, il affame les populations mais enrichit les contrebandiers, les trafiquants de drogue et leurs parrains.

Se dévoile ainsi la stratégie de Washington : l'embargo, prétendument dirigé contre les putschistes, vise d'abord *Titid*, impuissant à faire évoluer le rapport des forces. Il faut acculer le président élu à toujours plus de concessions, mettre en évidence son « intransigeance », le contraindre à un partage du pouvoir avec les adversaires du changement. Le pousser des compromis aux compromissions. Quant à l'afflux de réfugiés, il trouve rapidement sa solution : les *boat people* sont renvoyés à Port-au-Prince, sans la moindre garantie. Alors que tout citoyen quittant Cuba acquiert automatiquement le statut de réfugié politique, tout Haïtien fuyant son pays n'est qu'un immigrant sans papiers.

Clinton, dans sa quête des voix des membres des associations humanitaires et des Églises, et surtout de la communauté noire, l'avait promis, pendant sa campagne électorale : il abandonnerait la politique « injuste et discriminatoire » menée à l'égard des réfugiés haïtiens. Mais, avant même de prendre ses fonctions, changement de cap à cent quatre-vingts degrés : les *boat people* sont indistinctement refoulés. Les demandes de visas pour les États-Unis en Haïti, en revanche, seront instruites de manière plus libérale, promet le nouvel élu. En septembre 1993, America's Watch dresse un premier bilan des deux administrations :

> Le gouvernement américain a joué un rôle central dans la crise des réfugiés, sortant constamment des règles du droit, intervenant en haute mer pour des activités appelées « sauvetages », et qui dénient aux victimes un refuge sûr. Du 1er juin au 3 août 1993, les officiels américains en Haïti ont reçu 2 785 demandes d'asile, et en ont accepté 38. Neuf Haïtiens seulement sont entrés aux États-Unis.

Après une trentaine de mois d'embargo, l'administration américaine cherche, quel qu'en soit le prix, à gagner son pari haïtien : une démocratie sous contrôle excluant Aristide, par ailleurs proclamé légitime.

L'embargo, réclamé par lui, est certes appliqué. Mais avec assez de porosité pour permettre aux putschistes de durer. Pas de pressions sur la Dominicanie qui a mis en place un trafic lucratif, mais des manœuvres dilatoires à l'ONU pour refuser la véritable étanchéité demandée par le Canada et la France.

Pareil embargo, sans débouché politique, devient difficile à soutenir, y compris par les partisans du président haïtien. Le secteur privé accuse la communauté internationale et non les putschistes. Les militaires contrôlent le marché noir. La classe politique reste en majorité soudée aux militaires. Les secteurs populaires accusent l'étranger de laxisme et d'incohérence. Et s'interrogent sur les débouchés d'une tactique qu'ils comprennent mal.

Cet embargo, qui favorise les bourreaux, pourrait se retourner contre son principal promoteur, le président légitime. D'autant que l'absence de moyens d'information entretient l'incertitude. Il serait pourtant si facile de donner des outils de communication (des émetteurs radio placés à bord d'un des navires assurant l'embargo, par exemple).

Le calendrier ne laisse cependant au président Aristide qu'une marge de manœuvre très étroite. La nasse paraît se refermer sur lui par une nouvelle alliance des États-Unis avec les trois pivots traditionnels d'une société anachronique, désuète et obscurantiste, qui tourne le dos à toute forme de modernité, même libérale. L'armée a tout à perdre d'une « professionnalisation ». La hiérarchie catholique (à l'exception notable de Mgr Willy Romulus, évêque de Jérémie), soutenue par le Vatican, veut régler son compte à la théologie de la libération. L'oligarchie *compradore* et sa classe politique restent arc-boutées à une société duale et une économie de comptoir.

Que reste-t-il à *Titid* pour gripper cet engrenage ? Difficile d'avancer sans lui, car la Constitution lui confère le droit d'amnistie, tout comme la nomination du Premier ministre et du commandant en chef. Surtout, hantise de Washington, il peut dénoncer la convention signée sous Duvalier, qui permet l'interception en haute mer des réfugiés haïtiens par la marine américaine. Le risque de relancer, à grande échelle, les flux de *boat people* va rappeler à Clinton ses promesses du temps où il était candidat. Il mobilise les démocrates dont il a besoin. Les associations de droits de l'homme et surtout le Black Caucus, le groupe des élus noirs au Congrès américain, amplifient le lien entre Africains-Américains et Haïtiens. La diaspora unanime s'active. Jamais elle n'a joué un tel rôle politique. Les grands quotidiens libéraux s'impliquent, fatigués des exactions des reîtres de Port-au-Prince et des palinodies washingtoniennes.

Pendant trois ans, avec la bénédiction intermittente de la communauté internationale, Washington a cherché en vain une troisième voie, entre une junte dont l'image est décidément détestable et un président certes légitime, mais imprévisible et mal converti aux bienfaits de la réconciliation ou de l'ajustement structurel. En septembre 1994, l'incapacité à endiguer le flux de *boat people* fuyant la dictature s'ajoute aux pressions. Le Conseil de sécurité de l'ONU a donné son aval à une intervention militaire.

Jusqu'au mois précédant le retour programmé du président légitime, rien n'assure que Washington ne tentera pas, une fois encore, de l'écarter ou de le marginaliser. Descendue massivement dans la rue, malgré les nouveaux mitraillages des « escadrons de la mort » du général Cédras, la foule des bas quartiers ne laissera guère le choix aux envahisseurs.

Haïti n'est, après tout, qu'un problème périphérique. Si la solution peut améliorer sans risque l'image démocratique et humanitaire de l'oncle Sam, éradiquer le lancinant exode des réfugiés vers la Floride et éviter de faire d'un chef d'État un mythe, pourquoi pas ? On se gardera de laisser croire, comme Clinton dans son discours, que la décision finale fut simple, évidente et limpide. Allant de soi. Sans la moindre arrière-pensée.

En septembre 1994, l'administration américaine s'en prend solennellement aux militaires putschistes... qu'elle a contribué à installer trois ans plus tôt. C'est le pasteur indigné Bill Clinton qui joue, cette fois, les redresseurs de torts le 15 septembre 1994, à la télévision, en *prime time* :

> Les dictateurs d'Haïti contrôlent le plus violent régime de notre hémisphère [...] Ils ont brutalisé leur peuple et détruit leur économie [...] Cédras et son armée de voyous ont installé un régime de terreur, exécutant des enfants, violant des femmes, tuant des prêtres [...] Laissez-moi vous dire encore une fois que les nations du monde ont essayé toutes les voies possibles pour restaurer la démocratie en Haïti. Les dictateurs ont rejeté chaque solution [...] Le message des États-Unis est clair : votre temps est fini. Partez maintenant ou nous vous ferons quitter de force le pouvoir.

CHAPITRE 8. LA DEUXIÈME CHANCE

En Haïti, la guerre est finie. Du moins celle des Américains contre un pouvoir de fait qui n'a jamais eu l'intention de résister. Vingt mille GI's affrontent... les caméras préalablement installées et une foule déterminée qui attend le retour de *Titid*. Peu de bavures : l'ordre règne à Port-au-Prince. L'autre guerre, certes de basse intensité, va-t-elle reprendre ? Ce combat bicentenaire, commencé bien avant la chute de Baby Doc, mené au prix de lourdes pertes par la paysannerie et son appendice bidonvillois de la capitale, va-t-il s'intensifier ? Eux n'ont toujours rien gagné, rien engrangé qui soit palpable.

Li retounen. Il est revenu. Le prêtre-président, arrivé sous les vivats du peuple, remarque-t-il que la foule est moins compacte et les applaudissements moins sonores ? Rentré dans les fourgons héliportés de l'armée américaine, a-t-il le crédit et les moyens de recoudre le drapeau de l'espoir, déployé quatre ans plus tôt ? De redonner vigueur à la formule ressassée : « passer de la misère indigne à la pauvreté digne » ?

Résistance active ou passive, les sous-hommes restent fidèles à l'homme et à son mouvement, *Lavalas*. À cette parenthèse brève, mais unique, dans la tragédie commencée au lendemain de l'indépendance. L'année 1991 restera comme un âge d'or, malgré des avancées sociales limitées ; et *Titid*, un mythe que n'écorneront ni les campagnes de diffamation ni les souffrances d'un embargo qui enrichit les mafias proches des putschistes et affaiblit ces trois Haïtiens sur quatre qui campent au-dessous du seuil de pauvreté absolue.

L'opération *Soutien à la démocratie* est l'aboutissement de complexes sinuosités tactiques, le résultat du jeu contradictoire des différents lobbies. Mais une stratégie converge, commune aux principaux centres du pouvoir américain : replacer sous tutelle l'ancienne « perle des Antilles ». Plus besoin maintenant de recourir au macoutisme ou à ses variantes ! Ouvrir la voie à une démocratie contrôlée, facilitée par l'occupation ! Le voudrait-il que le pays est inapte à sortir seul du chaos où l'ont plongé trois ans de dictature mafieuse.

Les Américains espèrent avoir ramené à Port-au-Prince un président reconnaissant et dépendant. Ligoté. Une caution pour mieux préparer l'après-Aristide : les conciliabules n'attendront pas quinze mois pour ouvrir sa succession. Il faut voir les bataillons d'« experts » américains chargés de prendre en main, de façonner le « nouvel Aristide » ! Les forces militaires, économiques, psychologiques, les moyens de communication concourent à isoler le président de son peuple. Les impératifs de sécurité – réels – offrent un prétexte supplémentaire. Se laissera-t-il longtemps enfermer dans la cage de verre d'où il s'est adressé à la foule depuis le palais présidentiel le 15 octobre 1994 ?

Pour Aristide, la marge est étroite. De son exil de Washington à son palais de Port-au-Prince, il reste pour l'instant entouré d'Américains. Lui-même mesure-t-il à quel point on veut faire de lui un politicien ordinaire, un président conforme, un homme résigné à un intermède sans relief ?

La démocratie est, en fait, à construire, tant l'expérience fut courte. Elle ne doit pas se réduire à la revendication récurrente de justice ou à la proclamation renouvelée de la seconde indépendance. Comment donner corps aux slogans, inclure de nouveaux réflexes : une approche pluraliste des problèmes, la protection permanente des droits de l'homme, la reconstruction d'un tissu social systématiquement déchiré ?

Comment transformer le capital d'enthousiasme du mouvement *Lavalas*, presque intact, mais vague et informel, en un puissant mouvement fédérateur d'initiatives ? Les leçons ont-elles été tirées du relatif échec de 1991 ? Le mouvement associatif peut-il rebondir, après trois ans de violence ? Faire face au cynisme qui perdure chez tant de démocrates du lendemain ?

Tous les secteurs de *Lavalas* ont-ils conscience que le pari sera difficile ? Que l'enracinement populaire est le seul levier qui puisse contrebalancer les habitudes ou les souhaits des nouveaux parrains d'Haïti ? Les Américains, et d'autres moins influents, préfèrent depuis longtemps dialoguer avec l'oligarchie et les personnalités empressées de s'entremettre. La revitalisation est indispensable aux forces du mouvement. Et le rôle du président et de son équipe y est essentiel. Comment négocier la venue des indispensables infrastructures de base en gardant assez d'autonomie face aux financeurs ?

Les grandes familles étaient de la fête au Palais national, le jour du retour. Trois ans plus tôt, elles finançaient le putsch... La légitimité n'aurait pas suffi à garantir le retour. Il a fallu à Aristide, soutenu par quelques secteurs de l'opinion internationale, beaucoup d'obstination et la résistance passive de ses concitoyens. On a empêché l'émergence d'une tierce solution. Mais le pays a perdu, en trois ans, un cinquième de son produit intérieur brut. C'est dire à quel point il s'est appauvri... et dépend entièrement des bailleurs de fonds. Il n'échappera pas à quelque forme que ce soit d'ajustement structurel. Al Gore, le vice-président américain, viendra plus tard le clamer haut et fort.

Au-delà du verbe, de l'incantation ou de l'improvisation, il faut maintenant gouverner. Les classes moyennes, frappées de plein fouet par l'embargo, se méfient du rétablissement de la démocratie. Liées aux systèmes clientélistes, elles freinent les réformes. Bien implantées dans le secteur public, nécessaire à tout redémarrage, elles se moquent bien de la création d'un État stratège, de structures au service des initiatives : reconstruction du tissu social, décentralisation, aide aux secteurs marginalisés, dynamisation des organisations de base...

À moins que la main tendue aux classes dominantes, signe d'une radicalité érodée, ne fasse partie du contrat de retour. De la fin de contrat. *Titid* a été élu pour cinq ans non renouvelables immédiatement. Huit mois de pouvoir effectif plus trente-sept mois d'exil : restent quinze mois pour lui et trois pour les parlementaires, soumis à réélection. Davantage si la pression populaire exigeait que soient décomptés les trois ans d'exil. Une hypothèse écartée à regret par le président et tout à fait exclue par les Américains. Justement, l'occupation d'Haïti durera quinze mois minimum : états-unienne d'abord, onusienne ensuite.

Ce ne sont pas les 3 % d'augmentation de la richesse nationale en 1995 qui changent le paysage social. La tendance est certes inversée, mais le surplus mangé par le seul accroissement démographique ! Ce qui change vraiment, c'est la liberté d'expression retrouvée. Le seul acquis promptement restauré et, dix ans après, toujours vigoureux, malgré de douloureuses entorses. Une liberté qui donne à la période ce vent de fraîcheur et de renaissance, quand l'atmosphère reste lourde de menaces, de revanches et de frustrations. Comme si le pain quotidien avait à peine changé.

Injustice, insécurité, instabilité. Insatisfaction extrême : la maison paraissait près d'exploser. Haïti, avec l'appui des troupes onusiennes, semble pourtant plus sereine. Le pays commence à émerger du chaos. À l'ombre d'un État de droit en construction, encadré par la communauté internationale, sous la molle direction d'un gouvernement aux priorités vagues.

« Titid II », comme on le nomme parfois, doit composer avec l'allié américain. Sécurité, approvisionnement, communications : le pays est en décomposition. Délabré et dépendant. Les accords financiers de 1994 laissent peu de marge de manœuvre. D'autant que les experts haïtiens improvisent toujours dans l'urgence. Une habitude : les ministres ne bataillent pas, parce qu'ils connaissent mal leurs dossiers.

Le président manifeste, lui, un souci majeur : la sécurité. Comment promouvoir justice et réconciliation, notions partiellement contradictoires ? Ou sécurité et liberté économique ? L'économie ne peut repartir sans le milliard promis, et finalement versé pour l'essentiel. Une goutte d'eau dans l'océan des besoins de première urgence.

Aristide paraît prêt à défendre le fameux pacte social, ce compromis historique qui pourrait faire entrer dans la modernité un pays aux structures et aux mentalités archaïques. Un projet qui prolonge les espoirs de 1991, mais avec quelques contraintes de plus. Il s'agit de canaliser les revendications populaires, mais à condition que les élites se convertissent à l'État de droit. Il va, sous haute surveillance, s'y employer un an durant.

Il accepte même de renoncer au Premier ministre de son choix et nomme un négociant démocrate qui a la confiance de ses pairs locaux et étrangers. Un exécutif pléthorique et inefficace gouverne jusqu'aux élections locales et législatives sans cesse reportées. Pas de vraie priorité, pas de résistance aux pressions extérieures de toute nature, une lutte trop timide contre la corruption, une incapacité à arbitrer entre les différents ministères, bref la politique du chien crevé au fil de l'eau. Même si les intentions sont souvent louables. Ni la décentralisation ni la lutte contre la contrebande et la vie chère, conséquence de l'embargo, ne progressent vraiment. On saupoudre, on distribue à la manière d'une ONG urgentiste.

Le président de tous – c'est ainsi qu'il désire apparaître – rappelle la « priorité aux pauvres » et exige régulièrement de son gouvernement du concret ainsi que, en sous-main, une lutte contre les missionnaires de l'ajustement structurel et de la bible néolibérale. Il s'emploie lui-même à retarder ce que le Fonds monétaire international (FMI) appelle la « démocratisation de l'économie », mais laisse à son gouvernement les dossiers du décollage économique et des besoins sociaux les plus criants.

L'analyse des comptes rendus des conseils des ministres est éclairante. On y recense un festival d'initiatives, une floraison de projets, un feu d'artifice de réformes. Et une utilisation inventive ou ingénieuse des subtilités de la conjugaison française. Présent, passé composé, futur immédiat, passé antérieur, conditionnel masqué derrière l'impératif, le tout mâtiné d'adverbes ambigus ou restrictifs : l'étude passionne le linguiste, mais désarçonne le politique. Rien que des effets d'annonces. « Nous avons décidé que » sous-entend que rien n'est initié. « Priorité » signifie vague annonce dans un catalogue sans sommaire. Il suffit de visiter le terrain : un chantier de bonnes intentions, des changements nombreux mais purement virtuels. Rien d'autre que quelques « petits projets présidentiels » que le président se réserve et dont il peut s'attribuer la paternité. Dans un pays où tout est à faire, la gestion de la cité est devenue affaire d'intention et de communication. Le torrent *lavalassien* se réduit à un mince filet d'eau tiède.

Les forces américaines, relayées en avril 1995 par les sept mille soldats et gendarmes de la Mission des Nations unies pour Haïti (Minuha), prorogée jusqu'en 1996 puis au-delà sous diverses appellations, assurent une sécurité grandissante. Leur présence est nécessairement provisoire. Pour Aristide, la réforme de l'État constitue la vraie priorité. Il privilégie la sécurité au détriment du paysage social, inchangé.

Il s'agit de supprimer les racines d'une machine prédatrice, parasitaire et brutale. Et de refuser, dans l'immédiat, que les cinq mille victimes de la terreur militaire soient passées par pertes et profits, au nom de cette culture de l'impunité et de l'oubli pratiquée de la Terre de Feu à l'Amérique centrale.

En 1994, il n'y a pas de loi d'amnistie. Même les tortionnaires de la fin des années 1980 ne sont pas, théoriquement, à l'abri.

Dès les premiers jours de 1995 commence un véritable bras de fer entre l'ancien prêtre des bidonvilles et la superpuissance qui gère son arrière-cour. D'abord feutré et discret, il prend de l'ampleur avec l'écrasante victoire électorale de *Bò tab la* (Tous autour de la table), la coalition qui soutient Aristide (juin et septembre 1995). Un scrutin toujours aussi laborieux à organiser, mais validé par la communauté internationale.

Les accords de Washington prévoyaient une armée réduite à mille cinq cents hommes. Les États-Unis y tiennent. On imagine facilement pourquoi. Aristide multiplie les mutations, change deux fois les chefs d'état-major, nomme finalement au sommet un général des pompiers, semant la zizanie dans le corps des officiers supérieurs. Washington s'inquiète et réclame l'éviction de trois officiers – proches du président – impliqués dans des atteintes aux droits de l'homme ayant eu lieu en... 1991. Le président prend le temps de la réflexion, avant de donner brusquement satisfaction à ses interlocuteurs : ils réclament trois têtes, lui leur en donne quarante-neuf. Tous les officiers supérieurs, sauf un. C'est l'estocade, alors que les « casques bleus » viennent de relever les *marines*.

En avril 1995, il charge le major Dany Toussaint, un de ses proches, d'assurer la liquidation de l'armée et appelle le Parlement, après la victoire aux législatives, à « organiser les funérailles constitutionnelles de l'armée ». Elles seront votées, dans un climat délétère, en 2003 ! Parler de lenteur parlementaire tient de la litote.

La création d'une toute nouvelle police, rapidement formée, requiert aussi toute l'attention présidentielle. Le Palais suit de près son recrutement et sa formation, qui ne sont pas exclusivement entre des mains américaines. L'instrument devient lentement opérationnel. Le concours de l'ONU reste nécessaire, alors que subsistent beaucoup d'armes, d'un côté ou de l'autre de la frontière dominicaine. Washington prétexte l'exiguïté de la nouvelle académie de police de Port-au-Prince et impose le transfert de certains contingents à Fort Leonard, dans le Missouri. Le président obtient bien un droit de contrôle sur place, mais le séjour ne rappelle que trop celui des officiers de l'ex-armée d'Haïti alors en formation. La CIA et autres agences ont déjà procédé aux premiers recrutements.

Aristide l'a répété : on ne construit pas une nation – vivent toujours en Haïti deux sociétés quasi distinctes – qui ne soit fondée sur la sanction du crime. À l'origine, en particulier, de la création d'une École de la magistrature, la communauté internationale propose d'ambitieux programmes pour le long terme. Mais, États-Unis en tête, elle entrave de façon permanente la poursuite des responsables de tortures, d'assassinats, sans parler des criminels économiques, à l'abri dans leurs châteaux au milieu des fraîches collines qui dominent la capitale.

Dans un rapport confidentiel de la Minuha, rédigé pour le commandant en chef, le général américain Shelton, on peut lire ceci : « Des politiques populistes peuvent effrayer les investisseurs potentiels, endommager l'économie et s'aliéner l'élite économique. » Ce qui, à terme, pourrait conduire à de « sérieux problèmes de sécurité ». Même logique, enchaîne l'auteur, en ce qui concerne les « crimes du gouvernement *de facto* ». À trop instruire les crimes de la dictature, on risque d'indisposer l'indispensable élite, dont le rapport reconnaît, par ailleurs, le penchant pour la violence. Conclusion implicite : il faut décourager le gouvernement d'engager des mesures qui pourraient irriter les privilégiés. Les rapports ou les conseils de cette eau abondent. Ils vont alimenter le « politiquement correct ».

Ce sont les services américains qui confisquent les archives du Front révolutionnaire pour l'avancée et le progrès d'Haïti (FRAPH), les « escadrons de la mort », ainsi que celles de l'ancienne armée. Quelque cent soixante mille pages qui seraient tellement utiles pour mener, dans l'île, les investigations, mais davantage encore pour accabler la CIA et la DIA (les services secrets du Pentagone), organisateurs et manipulateurs des groupes paramilitaires, en contradiction avec la politique officielle de « restauration du président constitutionnel ».

Le discours du président est censé lier et promouvoir la justice et la réconciliation... dans un pays où fonctionne un système judiciaire désuet et corrompu. Et où, justement, le concept de justice, élargi à tous les secteurs, fonde la revendication des déshérités et leur relation avec le président. Tant sont fortes les frustrations nées de l'espoir cassé en septembre 1991. On peut énoncer les injustices et recenser les victimes. Découvrir les bourreaux ou leurs commanditaires est autrement malaisé ! La commission Justice et Vérité restera sans suite.

Aucun criminel de gros calibre ne sera jamais appréhendé. La dernière junte militaire coule des jours tranquilles. Les anciens dirigeants macoutes, revenus au pays, devancent tranquillement les descentes de police. Grâce à des informations venues d'en haut.

Aristide sent bien toutes ces ambiguïtés. Qui, en fait, veut vraiment la justice ? Qui croit à son impérieuse nécessité ? En 1995, lui, sans doute. Mais ses alliés, d'ici et d'ailleurs, veulent surtout la réconciliation, promise aussi. Et comprise comme oubli. Ils imposeront l'habituelle omerta. Et Aristide se contentera de manifestations symboliques. Il témoigne. En inaugurant en pleine nuit une stèle aux victimes, « parce que nous vivons toujours dans la nuit de l'injustice » ; en faisant patauger, deux heures durant, les diplomates au bord du charnier de Titanyen, où les *attachés* jetaient leur gibier. Le président manie sans doute les symboles, mais manifeste une obstination mal récompensée et mal comprise. Sauf par le peuple que, faute de justice, on pousse à s'interroger sur les vertus de la démocratie et à châtier lui-même les macoutes ou présumés tels.

La classe politique et Aristide lui-même continueront-ils ce combat ? Les habitudes, dans ce pays, peuvent en faire douter. L'usage est d'oublier, de tourner la page d'histoire, voire de la déchirer. Ce qui prévient ou évite toute investigation sur le passé récent.

Quand certains, dans la communauté internationale, poussent à la création d'un appareil répressif professionnel et intègrent ou protègent les voyous qui furent ses nervis, ils réintroduisent le ver dans le fruit. Suivez mes conseils, pas mes pratiques ! Au pays des discours et de l'arbitraire qui les dément, quelle aubaine pour les tortionnaires et les dictateurs passés ou à venir !

Trois ans d'exil entre deux intermèdes. Le second se termine le 7 février 1996. Une impression d'inachevé. Bilan mitigé : retour à l'ordre constitutionnel, gouvernement du verbe. La cote de popularité, pour un chef d'État en fin de mandat, reste élevée. *Titid* a supprimé l'armée, mais pas assuré le repas quotidien promis aux plus humbles. Haïti est sortie en 1994 d'un embargo à la longévité criminelle, mais il n'y a guère plus d'écoles, de routes, d'électricité, d'eau potable et de *djobs* que cinq ans auparavant. Tout au plus quelques promesses de récompenses si l'élève progresse docilement.

Washington et l'état-major de *Bò tab la* s'accordent sur un point : malgré les trois ans d'exil, Aristide doit constitutionnellement partir. Il resterait volontiers. Ni les parlementaires ni les dirigeants *lavalassiens* ne le souhaitent. Trois ans avec *Titid* ou cinq ans derrière Préval, l'ex-Premier ministre promu dauphin ? Les caciques optent pour la seconde hypothèse. Décourageant Aristide d'en appeler une fois de plus au peuple qui pourtant s'agite, ils lui forcent la main. Il s'en souviendra.

Titid les avait faits. Ils espèrent le défaire. Se donnent cinq ans pour y parvenir. Après l'*incertitid* de l'exil, l'*ingratitid* du présent ? Les élus se débarrasseraient volontiers du maître à qui ils doivent leur élection et, pour quelques-uns, leurs sinécures. Plans de carrière personnels ? Jeux politiciens classiques ? Meurtre du père ? Ils l'expédieraient volontiers dans les oubliettes de l'histoire. Les clans ne datent pas d'aujourd'hui. Le mouvement *Lavalas* se fracture un peu plus. Il est vrai qu'il occupe presque seul l'espace politique haïtien.

Préval est élu sans concurrence, avec plus de 80 % des voix. Mais moins de 20 % des électeurs se sont déplacés. Amère victoire, boudée par une partie du peuple. Comment imaginer, après un tel score, qu'Aristide puisse être facilement oublié ? Il est incontournable. D'autant que Préval reste son ami. Le jeune retraité n'entend pas renoncer. Il s'est sorti presque indemne d'un long combat contre l'oncle Sam, il paraît prêt à un autre combat contre des amis ingrats. Quitte à emprunter aux méthodes des uns et des autres. Il a beaucoup appris.

Évincer Aristide, Washington s'y est employé par tous les moyens : travail souterrain de déstabilisation, campagnes de calomnie, collusion avec les groupes terroristes, protection des criminels, chantage alimentaire, gel des crédits d'urgence, duplicité diplomatique... Implacable mise sous tutelle, entrave permanente à la liberté d'un peuple à disposer de lui-même !

« Les Américains, entend-on parfois, auraient pu faire du bon boulot. » La paix coûte moins cher qu'une intervention armée, mais, paradoxe, se finance plus laborieusement. Les enjeux économiques sont insignifiants, les fonds nécessaires au décollage faibles, les risques militaires nuls. Pourtant, l'oncle Sam a choisi de rester lui-même, oncle Monroe. Ses descendants aussi. Chez eux au Palais national de Port-au-Prince ou ailleurs, ils commandent avec arrogance quand ils s'invitent. Comme la CIA déjà installée dans la nouvelle police haïtienne.

Mais l'état calamiteux d'un pays ne peut se réduire à l'influence délétère d'un puissant voisin, fût-il cautionné par la communauté internationale au complet : l'Union européenne, l'ONU, les autres institutions internationales, la Banque mondiale... Sauf enjeu stratégique majeur, ce qui n'est pas ici le cas, Washington ne s'est jamais soucié de guider un pays sans intérêt vers la porte de sortie du sous-développement. Acteur essentiel, l'impérialisme n'est pas responsable unique. La « main » ou le « complot de l'étranger » se combine à ceux d'acteurs sociaux et politiques de l'intérieur.

La bourgeoisie haïtienne s'est toujours faite complice de la mise sous tutelle ou en coupe réglée de son propre pays. C'est la « MRE », rappelez-vous, l'élite moralement répugnante. Répugnante et contagieuse, l'ancienne élite impose son style à la nouvelle. Comme si, avec le temps, son modèle de lâcheté, de profit facile, de clientélisme généralisé finissait par s'imposer à tout pouvoir qui veut durer. Le patriotisme n'étouffe pas davantage les institutions.

Le mouvement populaire haïtien a surgi au début des années 1980 et il est devenu acteur incontournable de la vie sociale. Ses avancées, ses succès finirent par porter l'un des siens jusqu'au pouvoir politique. Une rupture qui a paru s'affranchir du poids de l'histoire : la société haïtienne avançait à pas de géant, dans une démarche parfois gauche et saccadée. Allait de l'avant.

Titid symbolisait la rupture. Pour la première fois depuis 1804, les couches populaires déchiraient les rideaux de la scène politique qui les excluaient. Elles imposaient leur existence, leur présence, leur exigence de reconnaissance.

Issu de la paysannerie, au contact du peuple désemparé des villes, le prêtre avait rompu avec certains repères, avec le déterminisme et la résignation de peuple exclu, de nation condamnée au marronnage, en prônant les principes de la théologie de la libération. Des principes plus novateurs encore, dans un pays sans tradition socialiste ou révolutionnaire. Mais plus difficiles à arrimer.

Le prêtre militant réclamait le démantèlement des inégalités les plus brutales, appelait au partage du pouvoir, au respect de chaque humain redevenu homme et citoyen. Il ne perdait rien de son haïtianité – il défendait le créole – ni de ses références culturelles. Réaliserait-il enfin la synthèse entre cette singularité haïtienne et la démocratie, l'ouverture au monde ?

La voix indigène si écoutée déboucherait-elle sur une voie originale de sortie du confinement dans la misère ?

Le militant est devenu président. Élection, exil, retour : deux fois président en un seul mandat ! « Titid II » est plus souvent au Palais que dans la rue. La cage de verre a été remisée, mais le contact avec les « faubourgs » se fait rare et parcimonieux. Le prêche se maintient, mais l'écoute fléchit. On ne dira jamais assez combien l'exil fut destructeur. Pour lui, dans un rapport de forces plus aléatoire encore qu'en Haïti. Pour le mouvement associatif décimé par la répression. Pour les diasporas revenues au pays et refaisant leurs valises. Pour tous les Haïtiens victimes d'un interminable embargo.

L'élan donné en 1991, prolongé par le retour, n'a pas trouvé de relais pour aller plus loin. Comme s'il s'était affaibli ou blessé en route. Comme s'il se faisait de plus en plus oublieux du point de départ. Comme si le réalisme commandait. Comme si la facilité inclinait à revenir à des schémas classiques d'exercice ou de partage du pouvoir. Le mouvement populaire souffre lui-même de ses propres carences et de la pesante verticalité de la société haïtienne. Au faîte de sa puissance en 1991, il ne parvient pas à transformer l'adhésion généralisée, cette immense demande de participation, en conscience politique, en autant de cellules de changements sur les terrains de l'éducation, de la santé, de l'aménagement rural ou urbain...

L'exil ou la résistance passive n'ont rien appris à cet égard. Pas d'organisation proposée aux apprentis acteurs, aux citoyens qu'on voudrait actifs. La constellation *Lavalas* ne se mue pas en coordination, centralisée ou pas. Jamais ne s'est organisé un parti ou un mouvement politique. Seulement quelques chapelles. Rien qui soit respectueux de l'originalité haïtienne, qui donne consistance et récurrence aux aspirations du très grand nombre. Rien qui assure une forme de démocratie interne aux forces du changement. Rien surtout qui permette de peser sur les décisions de son leader, incontesté et sans concurrents.

Titid ak malere se marasa. Titid et les pauvres sont jumeaux. Ou sont mariés. *Lavalas* fonctionne comme une relation d'amour, ou de confiance, entre *Titid* et son peuple. Une union. Sans échéance ni contrat. Tacitement reconduite. Sans évaluation qui garantirait contre l'usure et les dérives du temps.

Ce mouvement n'a jamais pu ou voulu se construire. Plus encore, mis à part des tentatives timides ou des discours sans suite, surtout au début de

1991, il n'a pas engagé de bataille sur le fond, de campagnes de masse. Pas ou peu de « conscientisation culturelle », à la manière de Gandhi ou de Martin Luther King, qui sont les inspirateurs de *Titid*. Pas de tentatives sérieusement orchestrées pour éroder cette vieille Haïti mentale, que le président dénonce à grand renfort de métaphores créoles.

Woch nan dlo pa konn doulè woch nan solèy. Les pierres au frais dans la rivière ne connaissent pas la dureté de l'exposition au soleil, disait-il en 1991. Est-ce dans l'ordre des choses ?

Les maux endémiques de la société haïtienne perdurent : l'opacité, le mépris, l'autoritarisme, le macoutisme, l'illettrisme... Ces travers, souvent dénoncés, s'insinuent puis se répandent là où ils ont vocation à être combattus. Ils prennent, dans les institutions, au fil de la seconde moitié de la décennie, des proportions de plus en plus inquiétantes.

Des militants indiscutables se transforment en parlementaires à la bedaine prospère ou en bureaucrates hautains, renvoyant avec dédain les solliciteurs ou les plantons à leurs devoirs, paradant, oisifs, derrière leur bureau. Par intérêt, par mimétisme ou par paresse, ils s'installent sans peine dans les habitudes de ministères auxquels ils rêvaient. Une attitude qui n'est pas spécifiquement haïtienne, mais qui étonne quand elle émane des clandestins et des proscrits d'hier, quand le comportement dément à ce point le passé récent.

La fidélité devient vertu première, la compétence accessoire. On récompense le conformisme et la vassalité. On craint les géniteurs et les pionniers. Comme si le naturel revenait au galop, encouragé par les fonctionnaires qui poussent à la normalisation. Et le ministre qui se pare des plumes d'un autre, à quel modèle va-t-il s'identifier ? Au seul qui existe depuis deux siècles : celui des dignitaires des régimes antérieurs.

Partout surgissent les mêmes difficultés. Obstacles ou impasses : improvisation, gaspillage des ressources, difficulté à travailler en équipe, à débattre, à clarifier, à déléguer les pouvoirs, courtisanerie, clientélisme et clanisme, naissance d'une nomenklatura... Autant d'entraves à toute possibilité d'appliquer cette manière de faire de la politique autrement, que symbolisait *Titid*. Et cette priorité définie dans les années 1980 : éducation, alphabétisation, apprentissage, instruction, pédagogie.

Le personnel politique a certes été entièrement renouvelé. Mais, en 1996, la démocratie en transition ressemble parfois à un retour progressif à l'Haïti éternelle. Celle de la misère, comprise comme désolation, mais aussi silence, mépris et impunité.

Les archaïsmes reviennent au galop. L'histoire, de nouveau, colle aux souliers d'Haïti. Une glue qui scelle lentement le présent à un passé de boue et de sang : le retour à cette singularité de l'enfermement et de l'immobilisme. La crise institutionnelle qui commence en 1997, et n'en finit pas, ajoute au pire. Elle n'est qu'une conséquence. Un aléa. Les démons – arbitraires, chantages, inégalités, vassalités – n'ont jamais quitté la place, ils reprennent vigueur.

La pression sur Aristide a été très forte. Celle des amis et celle des adversaires. Le temps a manqué. Il ne paraît pas avoir d'adversaires à sa mesure. Si imprévisible que soit l'histoire d'Haïti, beaucoup pensent qu'Aristide reviendra, lors du scrutin présidentiel de 2000. Une heureuse *certitid* ?

CHAPITRE 9. L'ÎLE NUE

Où sont la luxuriance et le vert sans taches qui subjuguèrent Christophe Colomb ?

Tout néophyte venu en avion de l'Est vous le dira. Il suffit de se coller au hublot peu avant l'atterrissage à Port-au-Prince. Quand on survole Hispaniola, se déroule dans la montagne une ligne aux courbes désordonnées, mais quasi continue. Un trait vert-de-gris qui sépare deux couleurs. Vert oriental contre gris occidental. Deux mondes. Une fracture qu'on imagine géologique. Une barre qui sépare deux... deux on ne sait quoi. Mais il y a toujours quelqu'un qui sait.

La rupture est une frontière. La seule au monde où, mieux que des barbelés ou des drapeaux, on ait imaginé de colorier la terre ? D'un côté il y a des arbres, de l'autre pas. En Dominicanie, on chasse encore les espèces animales. En Haïti, où ne survivent que les rats, les lézards et les colibris, on traque le végétal, l'arbre, épais de préférence. Faute de le trouver, on se contentera d'un bouquet d'arbrisseaux.

Trente millions d'arbres sont coupés chaque année, trente ou trente mille replantés. Le second chiffre n'est que probable. Planter coûte, couper rapporte, même modestement. Il n'y a pas de petites recettes en Haïti. Nul stratège ou prospectiviste pour expliquer que, si l'on veut encore trancher demain, il faut épargner aujourd'hui.

La forêt tropicale, atteinte dès le XVIIIe siècle par l'extension des caféteries, s'est transformée en charbon. 80 % des trente millions d'arbres abattus en 2000 sont devenus petits morceaux de combustible ensachés. En 2003, il faut réviser l'hécatombe à la baisse. En 2005, toute couverture forestière aura disparu. Bienheureuses les orchidées du parc national Macaya, lorsqu'elles s'abritent encore à l'ombre des grands pins. Comment la seule grande réserve de l'île (deux millièmes du territoire) évitera-t-elle le grignotage en cours, prélude au pillage par les affamés ? Ne resteront que les frangipaniers, les goyaviers, les hibiscus et les calebassiers des repus.

Y a-t-il ailleurs population aussi nombreuse vivant dans un cadre aussi désagrégé, déménagé, défait par les habitants eux-mêmes, devenu franchement hostile, faute d'alternative ? L'inadéquation du rapport de l'homme à son terroir est paroxystique, l'inadaptation tellement patente, l'aggravation si inscrite dans la durée qu'on peine à comprendre la survie des incroyables densités de population accrochées au vide.

Le menuisier de Trou-Bonbon s'inquiète. Le cercueil fait l'essentiel du chiffre d'affaires. D'autant que la population augmente et que, même jeune, elle peut succomber dans la fleur de l'âge. Les commandes ont doublé en un quart de siècle. Le client, qui vit comme un chien, ou sa famille se ruinera pour une boîte princière. Pourquoi lésiner avec la mort qui offre des perspectives autrement prometteuses que la survie quotidienne ?

Mais notre artisan ne trouve plus que des bois de seconde classe, troncs de manguier ou d'avocatier. Oubliées depuis longtemps les grumes de campêche et d'acajou. Faudra-t-il demain tirer les planches des frêles cocotiers « dépendeurs » de lune ? Comment rompre la chaîne arbricide par l'un ou l'autre des deux bouts ?

Des milliers de charbonniers, autant de transporteurs et de vendeuses vivent de cela. On a vu, en période de disette, couper des arbres fruitiers. Qui est prêt à leur fournir un travail de substitution ? Quelle collectivité locale, quel État utilisera la main-d'œuvre, pourtant pléthorique, au reboisement ? Prévoira un plan quasi centenaire de préservation ? Quel prophète de mauvais augure annoncera la nouvelle : la fin des arbres, c'est la mort des paysages, et la mort tout court de la ruralité. On approche de l'épilogue pour une paysannerie quittant un environnement lunaire pour une destination trop connue : l'univers concentrationnaire de la capitale ou celui des *bateys*. On a déménagé les arbres, on déplantera les hommes. Transplantation toujours...

Quel pédagogue, quand chacun peine à penser au-delà du lendemain, peut engendrer une prise de conscience salutaire ? De la part des paysans, des écoliers. Il y a à Port-au-Prince un ministre de l'Environnement. Et plus d'agronomes en ville que sur les terres à nu. Sans moyens, sans objectifs, sans plan. Seules quelques ONG expérimentent. Subordonnant par exemple certaines aides agricoles à la plantation et à l'entretien de jeunes pousses.

Autre extrémité de la chaîne : le consommateur. Le charbon de bois est moins cher que la bouteille de gaz. Et plus accessible dans les zones reculées. Qui paiera plus cher la cuisson de l'igname pour anticiper l'Haïti du XXIIe siècle ? Que faire ? Ajouter un produit d'importation supplémentaire ? Le subventionner de surcroît ? Atteinte à la vérité des prix et à la libre concurrence. Atteinte surtout à l'inconscience de l'État.

Nul mouvement d'envergure pour dénoncer le saccage mortel. Les écologistes sont au Nord, les problèmes au Sud.

Une fois les arbres immolés, le tissu végétal s'est dissous. Rien ne protège plus les mornes des averses tropicales. Et surtout pas les cabris qui arrachent les racines avec les herbes les plus résistantes. Le ruissellement s'accélère à mesure que les roches sont dépouillées de leur couverture. Le lessivage s'opère d'autant plus vite que le pays est montagneux. La moitié des terres est affectée d'une déclivité supérieure à 35 % ! Elles sont aujourd'hui épuisées, stérilisées. Les limons disparaissent et l'agriculture avec. Quand la population double en vingt-cinq ans, la surface cultivée diminue de moitié. Calcul simple : même si l'exode rural a chassé la moitié des ruraux, leur nombre est, en valeur absolue, resté stable... pour une ressource deux fois moindre.

Boues et caillasses envahissent les plaines littorales. Les crues, déjà sévères quand la pluviosité est forte et irrégulière, se font soudaines et dévastatrices. Pas plus qu'on a entravé la déforestation, on ne se prémunit contre le cours devenu erratique des fleuves. Inondations imprévues et mortelles, étiages prolongés. La rivière Artibonite finira par noyer la plaine rizicole éponyme et les paysans qui s'y échinent, plus sûrement que les importations états-uniennes, moins chères parce que subventionnées. En vingt ans, vingt fois plus de riz importé.

Pour les indigènes, pas la moindre issue de secours. Écologie ou économie, c'est pire que la *borlette*, la loterie locale : perdu d'avance. Seul combat possible : retarder la date du tirage. Retarder, marronner, faire comme si...

La course naturelle et inexorable de l'eau douce vers l'eau salée se fait ici tragique. Les boues, vastes taches brunâtres repoussant de quelques kilomètres le bleu caraïbe, envahissent le littoral et polluent le plancton. Aussi sûrement que les déjections des deux millions et demi de Portoprinciens qui connaissent encore moins les stations d'épuration que l'évacuation des eaux usées. 95 % d'entre elles empruntent les ravines, les rues ou les rigoles à ciel ouvert. Les orages ont des conséquences de plus en plus meurtrières, mais une fonction salvatrice : ils accélèrent les flux d'immondices du haut vers le bas.

La ville-poubelle y gagne quelque répit, mais la réputation du pays attire les dégazages de pétroliers qui savent l'île-poubelle hors de tout contrôle. Pis parfois : le déchargement sauvage de produits toxiques à quelques milles des côtes, voire à terre, avec la complaisance d'« autorités » intéressées.

Le plateau continental s'envase. Leur nourriture souillée ou raréfiée, les poissons s'éloignent donc des côtes, où subsistent des espèces naines, des langoustes certes délicieuses, mais de la taille des langoustines. Les pêcheurs ne mangent pas de langoustes, ils les vendent ! Leur revenu baisse, la ration de protéines de tout un chacun aussi. Et comme les artisans de la mer ne disposent que de pirogues à voile, pas question d'aller tenter sa chance plus loin. La richesse halieutique chute aussi vite que la production agricole. D'autant que les espèces protégées ailleurs, comme certains coquillages, sont en pêche libre ici. La productivité, elle, n'a guère varié depuis des siècles.

L'État n'a pas investi une gourde depuis des lustres pour la mer ou la terre. Pas davantage pour l'eau. La précieuse eau douce. La terre retient de moins en moins cette denrée vitale et stratégique. Elle court si vite qu'elle s'infiltre à peine, oubliant de fournir les nappes phréatiques.

Les réservoirs ? Ils sont moins nombreux que les piscines privées. Trop chers ! Exigeant un minimum d'investissement financier et d'entretien humain. Qui fait généralement défaut. Un seul barrage, qui alimente la capitale, fonctionne. Fonctionne à peu près : faute d'entretien, il s'ensable. Comme s'ensablent les autres projets, qui seraient tellement multifonctionnels, au pays des montagnes imberbes, de la carence en énergie et des eaux meurtrières ou souillées.

Cette eau, dilapidée et précieuse, rare et abondante, furieuse et généreuse, cette eau, qu'on espère et qui affole, pourrait être la chance d'Haïti. Il pleut ici bien plus qu'à Paris ou à Chicago. Deux humains sur cinq ont accès à l'eau potable. Ce qui signifie que les trois autres se résignent à un liquide porteur de dysenterie, de typhoïde ou d'amibes. Stagnante, l'eau transmet la bilharziose ou favorise le paludisme. Furieuse, elle emporte les cabanes chancelantes des bidonvilles et les dernières cultures d'altitude. Elle est aujourd'hui traîtresse. Symbole de mort.

Bien sûr, moyennant finance, on peut acheter de l'eau potable. Au supermarché de Pétion-Ville, comptez deux euros et demi la bonbonne Culligan de quatre gallons, vingt litres d'eau déminéralisée. Qui peut se l'offrir ?

Haïti s'enfonce dans l'un des pires exemples au monde de désastre écologique. Dans l'indifférence ou l'impuissance. C'est connu. C'est écrit. Le ministre de l'Environnement le sait. Le charbonnier ne le sait peut-être pas. Le ministre n'a jamais parlé au charbonnier. Le ministre n'a pas la foi. Ni celle du charbonnier ni un quelconque sens de l'intérêt collectif. Ou pas le moindre moyen. Il sait, mieux que le charbonnier, que les jours de l'autre sont comptés. Mais il reste ministre, médecin paresseux d'un univers comateux, spectateur inconscient ou impuissant d'une île devenue monde clos dans lequel l'eau et le feu, réconciliés pour le pire, mènent leur danse macabre sur un rythme endiablé.

Les projets, initiés par les meilleurs experts, n'ont pas manqué au fil du siècle écoulé. Ils sont restés desseins, toujours conçus au Nord, buttant sur la méconnaissance, la corruption ou le scepticisme du terrain. Ne subsistent que de petits projets, plus proches des populations concernées. Modestes remparts à la dégradation généralisée. Victimes de surcroît du tarissement de l'aide extérieure.

On a bien, depuis le retour à la démocratie, ouvert quelques fontaines, offert quelques latrines. Les premières jamais entretenues, les secondes jamais vidées. De même pour les canaux d'irrigation. Inaugurations, en grande pompe, avec tambours et lambis. La statistique, pendant la même période, est restée la même. Le temps quotidien consacré par une femme haïtienne pour pourvoir les siens en eau incertaine et en combustible tout neuf dépasse toujours les quatre heures trente minutes. Dans les mornes comme à la ville.

La ville n'est pas mieux lotie que la campagne. L'érosion a défait la campagne, le chaos urbanistique permet rarement de définir comme villes les entassements de populations en trois ou quatre points du pays. Cap-Haïtien se bidonvillise à son tour, les dernières maisons *gingerbread* agonisent. Prévues comme centres de services ou de culture, comme agoras, ces villes n'en sont pas. Plutôt ports ou débarcadères, qui aspirent pourtant toute la richesse et l'énergie du pays.

Les risques naturels sont pires à Port-au-Prince qu'ailleurs. En un demi-siècle, aucune action publique d'envergure n'a tenté d'humaniser le tissu urbain. Une grosse pluie entrave une partie de l'activité. Un orage fort bloque les communications. Filaires ou routières. Un orage très fort transforme en torrents boueux toutes les pentes et charrie des amas divers qui brutalisent les zones surpeuplées du bas de la ville. Impossible de rentrer chez soi. Ou d'en sortir. On essaie parfois de sauver les véhicules autant que les humains.

Aucune politique de prévention. Aucune étude portant sur les conséquences de l'urbanisation rampante, bétonneuse et destructrice de toutes les barrières végétales. Pas de drainage des eaux. Aucune intervention des services de l'État au cœur de la tourmente. Personne ne l'espère. L'angoisse et le chaos en attendant le retour du bleu azur ! La catastrophe sera pour une autre fois ! Un gros orage fait plus de victimes qu'un cyclone annoncé à Miami.

Et quand l'œil du cyclone sera sur Port-au-Prince, ce qui n'est pas arrivé depuis un demi-siècle ? George ou Gordon ont balayé le pays, mais plutôt les zones rurales. Patientes, celles-ci attendent encore les réparations promises. La Caraïbe est zone de turbulences. Tous les voisins se prémunissent. Rien ici n'est envisagé. Absolument rien. Comme si les humains, nombreux mais transparents, ne pesaient pas. Seuls les murs des nouveaux châteaux pourraient faire face.

Les Haïtiens paieraient pourtant un prix sans comparaison avec l'addition réglée à tour de rôle par leurs voisins. Le seul ingénieur écologue de l'île imagine un scénario catastrophe, l'un des pires de l'histoire contemporaine. Des fleuves de boues descendraient, arrachant les bidonvilles des pentes. Un magma de roches, de meubles, de voitures prises dans un flot ininterrompu déferlerait sur l'en bas. Cité-Soleil et ses voisines se retrouveraient coincées entre le flux venu de la terre et le raz-de-marée poussé par le vent. Cabanes détruites s'enfonçant dans l'éponge qui leur sert de socle, bord de mer balayé par des vagues énormes submergeant ces quartiers où se juxtaposent les fourmilières humaines. Un million de Portoprinciens pris entre deux flots, meurtris par les objets volants, fuyant la noyade d'en bas pour la boue d'en haut. Les tôles arrachées aux toitures seraient autant de projectiles mortels. Toutes les communications, si vulnérables au quotidien ordinaire, seraient coupées.

Seuls les voisins seraient, dans un second temps, de quelque utilité. Secours : solidarité ou charité ? Dépendance à l'étranger, encore une fois. Dépendance prévisible mais imprévue. Inconscience de la fragilité.

Quand le corps entier est malade, comment soigner simultanément toutes les affections ? Où commencer ? Grave dilemme. On ne commence pas. L'eau est, paraît-il, à la source. Et les hommes ? Le pouvoir ne garantit ni leur droit à manger, moins encore l'éducation et la santé. L'État social-caritatif, comme le nomme le sociologue Laënnec Hurbon [1], communique en distribuant de petits secours à des petits groupes. Tout est dans la symbolique. La compassion, moyen de gouvernement ? C'est aussi celui de l'international.

Le remue-ménage de l'histoire s'est déchaîné brutalement trois siècles durant. Aussi dur avec les hommes qu'avec leur environnement. Il a déraciné les plantes et les humains, et jusqu'aux sites qui les abritaient. Abriter ? Y a-t-il encore des havres quand tout paraît décalé ou déplacé ? *Dechoukaj* généralisé que la charité ralentit à peine. L'Haïtien est né déplacé. Déplacé il demeure. Et ne peut craindre ou rêver que de nouveaux transferts, de migrations forcées ou mythiques. Comme le souligne André-Marcel d'Ans, l'organisation sociale est plus aberrante qu'injuste.

Personne ne connaît la FNUAP. C'est le Fonds des Nations unies pour l'aide à la population. Le 1er août 2002, sa responsable s'en vint à

1. Laënnec Hurbon, *Pour une sociologie d'Haïti au XXe siècle*, Karthala, Paris, 2001.

Port-au-Prince présenter son programme de coopération. Plaider pour « l'accès universel aux services de santé, au revenu et à l'éducation, la prévention du sida et le combat contre la violence ». Comme Monique Rakotomalala ne peut tout mener de front, elle concentrera son action, prévient-elle, sur la mortalité des femmes en couches et le sida. Des milliers de victimes annuelles dans les deux cas, record des Amériques ! C'est moins qu'annoncé d'emblée, mais encore beaucoup.

La directrice malgache est bien accueillie, même quand elle déclare disposer de huit centimes par « tête d'habitant » ! Le parterre de ministres et d'ambassadeurs en costumes sombres n'éternue pas. « Alors qu'il faudrait huit euros », ajoute-t-elle. On applaudit. Huit euros... le prix d'une visite annuelle chez le médecin. Avec ordonnance, mais sans médicaments. Ou d'un mois d'écolage. Sans garantie d'apprendre à lire.

Dépendance, charité... Chacun s'y est habitué.

Assujetti.

CHAPITRE 10. LE DÉNI DE PUBLIC

C'est samedi. Ti-Claude arpente la plage de Jacmel, à la recherche de quelques clients. Le garçon propose colliers de coquillages, noix de coco ou poissons frais qu'il fera boucaner pour le *blan*. Pas vraiment de touristes dans l'ancienne capitale du café, aux comptoirs abandonnés et aux maisons de maîtres décaties. Dommage : le charme désuet de la rue du Commerce en séduirait plus d'un.

Dix-onze ans, Ti-Claude. Il dessine des masques sur le sable, avec la pointe de sa machette à tout faire. Joli travail, plein de vie et d'humour, que la vague finira par effacer.

– Tu devrais les signer avant. Comment t'appelles-tu ?

– Mon nom est René-Claude Pierre-Pierre.

Impossible d'écrire les quatre noms sur la surface blonde, en français ou en créole, même en remplaçant la machette par un bâtonnet. Juste inscrire deux lettres. Ti-Claude peut écrire un nombre à deux chiffres, fruit de notre transaction sur les poissons, mais en les inversant. Il ne distingue pas la droite de la gauche. Par malchance, il est gaucher, mais sait qu'on tient la plume de la main droite. Il la tient, mais c'est tout. Et le petit Pierre-Pierre, cinquième d'un père pêcheur, n'est ni plus ni moins futé qu'un autre. Analphabète, sûrement. Mais scolarisé depuis l'âge de sept ans. Avec quelques mois d'interruption de-ci de-là, pour cause de retard accumulé dans le paiement de l'écolage.

Notre potache ne parle évidemment que la langue de ses ancêtres, celle de tout le monde. Et n'a guère l'occasion d'en entendre d'autres. Même à la radio, un objet de luxe relatif, mais qu'on peut facilement entendre dans les rues du petit port de Jacmel. Ceux qui possèdent un poste en font volontiers profiter tout le quartier.

Pourtant, Ti-Claude nous l'a affirmé : le maître, lui, officie en français. C'est vrai, à défaut d'écrire un seul mot, notre élève sait dire, dans la langue de La Fontaine : « Apprenez que tout flatteur vit aux dépens de celui qui l'écoute. » Ou bien : « Le nouveau président a été élu le 16 décembre 2001 », « Toussaint-Louverture a libéré le pays des Français. Il a été trahi... » On pourrait allonger la récitation énoncée par l'un des cinquante petits Pierre-Pierre, trois ou quatre heures par jour, face au maître seul à posséder un livre, dans une classe aux tables nues.

Un ouvrage – parfois plusieurs – et un tableau noir. Quelques phrases passent de l'un à l'autre. Et, inlassablement, insatiablement, chapelet psalmodié, on les répète. Le maître a peut-être quitté l'école vers quatorze-quinze ans, avec son certificat. Il sait lire et recopier le français qu'il comprend mal. Lui aussi peine à répondre à mes questions les plus anodines. Il a rarement l'occasion de parler français. Une langue pourtant précieuse : une raison de vivre, un gagne-pain, de quoi mettre de la sauce de cabri dans les bananes-frites.

Trois ou quatre heures durant, on déclame ou on récite. En français. Certains recopient avec un stylo, d'autres pas. Le martinet n'est jamais loin, et les taloches rappellent à la réalité qui rêverait au riz-pois qu'il n'a pas avalé depuis la veille. Deux écoles sur trois ressemblent en Haïti à celle-là. Parfois davantage de matériel, parfois plus d'élèves – on peut friser la centaine par classe. Les statistiques sont vagues ; elles viennent souvent de l'extérieur. Extrapolation à partir d'échantillons ou de données partielles. Étrange alliance de chiffres que le ministère de l'Éducation nationale peine à préciser : 1,4 million d'enfants dans les écoles, 60 % dans la tranche d'âge des six-douze ans. Un pourcentage en progression depuis deux décennies. Mais, en même temps, 60 à 75 % d'analphabètes, suivant les critères choisis ! Conclusion logique : ne pas aller à l'école, c'est rester illettré, mais la fréquenter revient au même pour une grosse moitié des élèves. L'école, en effet, produit plus d'analphabètes que de lecteurs.

Et pourtant, depuis une vingtaine d'années, Haïti, sous l'impulsion des *ti-legliz*, est lentement sortie de son enclavement culturel. Les esprits s'affranchissaient lentement du fatalisme ambiant. Et les familles, paysannes ou bidonvilloises, réclamaient la route, l'électricité et l'école. La lutte pour la justice et pour la survie économique passe d'autant plus par l'éducation que l'émigration est devenue plus aléatoire. Les parents sont souvent prêts à donner leur chemise pour que les enfants aillent à l'école, seul espoir de vivre moins mal dans un environnement qui s'est durci.

L'école, la majorité la souhaite en français. Parce qu'ils le sentent ou le savent, être « quelqu'un », c'est parler français. Lire ou écrire, cela peut se faire en créole – la langue est devenue officielle à côté du français depuis quinze ans –, mais lire Diderot, le Code civil, un manuel de mécanique, un CV ou un simple formulaire se fait en français, une langue parlée par 10 à 15 % de la population. Ceux qui sont réellement en charge des affaires. Ceux qui sont liés à l'appareil de l'État ou aux entreprises privées entre les mains des grandes familles de l'oligarchie. Les « professionnels » enfin, cette « bourgeoisie à talent », comme aurait dit Voltaire, ces quelques dizaines de milliers de Portoprinciens qui s'apparentent aux classes moyennes.

Pour ceux-là, il y a quelques écoles. Bonnes, chères, élitistes. On va naturellement au lycée français, à Union School ou à Saint-Louis-de-Gonzagues quand on appartient à l'oligarchie ; on se saigne pour y entrer ou trouver l'équivalent quand on sort d'une bourgeoisie moins huppée. La palme au lycée français, avec ces gamins de huit ans, conduits par un chauffeur-porteur de cartable (et le cas échéant garde du corps), attendant sur la banquette arrière de la Land-Cruiser qu'on leur ouvre la porte.

Dix-huit ans après la chute de Jean-Claude Duvalier, la population scolarisable n'a cessé d'augmenter. La population scolarisée aussi, dans des locaux exigus, écrasés de chaleur, occupés par brigades, à raison parfois de trois fournées d'élèves par jour. Elle déborde. Les uniformes se déversent par milliers dans les rues peu motorisées de Jacmel ou de Hinche, encombrent le centre de Port-au-Prince quand sortent à midi les premières cohortes, bloquant une heure durant un trafic automobile déjà insupportable.

Payer l'écolage (chaque mois, le prix de l'école) ou la rentrée (l'uniforme et, si possible, les livres) est un casse-tête pour les familles, nombreuses et éclatées. Parenté, diaspora américaine, usurier, employeur – pour les 20 % qui en ont – sont sollicités.

À lire les publicités, les annonces, les calicots qui se succèdent sur « Lalu », la grande artère qui mène du centre poussiéreux aux fraîches collines de Pétion-Ville, le pays donne l'impression d'une offre extraordinairement diverse et sophistiquée, véritable surenchère de vertus pédagogiques et de propositions professionnalisantes.

Au-delà de la classe de quatrième secondaire se bousculent des « écoles internationales de langues appliquées », un « institut international d'informatique d'entreprise », une « école nationale du commerce international », un « institut haïtiano-américain du design », un « séminaire de communication et de management politique »... À grand renfort de sémantique et de bluff, les propositions sont, dans les mots, supérieures aux réalités de Washington ou de Paris, dans le pays le moins ouvert des deux rives de l'Atlantique.

La réalité ne vaut guère mieux que pour les écoles élémentaires. La majorité ressort aussi de la *borlette*. Écoles-*borlette*, dit-on de celles où on n'apprend rien. Ou presque. Rien d'autre que d'ânonner des textes français appris par cœur, de plus en plus longs à mesure qu'on se rapproche du certificat, le diplôme de fin d'études primaires, ou du baccalauréat. Il faudra en avoir beaucoup ingurgité, pour vomir, le moment venu, une rédaction ou une dissertation, assemblage-inventaire à la Prévert de marchandises recrachées dans un désordre convenu ! Il faudra en avoir passé des soirées à lire et relire à haute et inintelligible voix les mêmes textes, dans la promiscuité des réverbères. Comme en Afrique, l'urbain garde sur le rural cet avantage : la lumière publique fournit la moitié du temps (et même chaque nuit dans la zone du Palais national de Port-au-Prince) le minimum requis à l'étude du soir.

La société haïtienne est si fortement hiérarchisée qu'elle peine à forger une identité. On l'a vu, le programme d'histoire est loin de former des citoyens. Ne parlons pas des autres. L'école prolonge le système des castes. Au-delà des clivages politiques, deux Haïtiens qui se rencontrent pour la première fois se jaugent en quelques secondes : la couleur de la peau – 95 % de Noirs, 5 % de métis –, la qualité du français, le patronyme. Vous êtes plutôt clair, votre français facile, votre nom de famille n'est pas un prénom ? Vous êtes « bien né », vous serez « bien élevé » : mulâtre ou Noir, vous appartenez aux 10 ou 15 % qui s'en sortent.

Les autres restent à la merci d'un système scolaire généralement hors du contrôle de l'État. N'importe qui peut ouvrir une école. Ou plutôt faire fonctionner quelque chose qui y ressemble. Pour obtenir l'autorisation, un diplôme est nécessaire, mais ensuite on peut sous-traiter l'« entreprise » et embaucher n'importe qui.

Les campagnes d'alphabétisation ont connu quelques succès au début des années 1980. Face à l'obscurantisme du système Duvalier, elles étaient un instrument politique d'émancipation. Ces fleurs-là se sont fanées depuis. Et le débat alphabétisation-scolarisation (laquelle est prioritaire ?), s'il permet encore quelques envolées dialectiques, s'est enlisé. Faute d'un levier ou d'un projet social qui mobilise. Accueillir et surtout scolariser mieux cette moitié de la population – les jeunes – paraît un enjeu suffisant ! Un objectif partiellement défini par le « Plan national éducation 2004 », après le retour de la démocratie, en 1995. On est, en 2004, loin des objectifs du plan.

Première difficulté, qu'une « mission française d'appui au ministère », plutôt bien dotée, a tenté d'aplanir : qui et combien sont les enseignés et les enseignants ? Combien d'écoles, de classes, de maîtres ? Contrôlés par qui ? Et que dire de la loi qui faisait – théoriquement – du créole la langue d'apprentissage de la lecture, le français ne prenant sa place de première langue qu'en quatrième année ?

L'État, qui n'a cessé de se désengager, gère une école sur dix. Un record, comparé à d'autres pays qui doivent aussi affronter une population dont la majorité a moins de vingt ans ! Les Églises protestantes scolarisent 40 % des enfants, autant que l'Église catholique. Le souci de prosélytisme religieux est parfois plus fort que celui d'éduquer, au sens que donnent les Européens et leurs ONG à ce mot.

Les maîtres, toutes obédiences confondues, sont soixante-douze mille sur le papier. En réalité beaucoup moins. La moitié ? Davantage ? Ils enseignent souvent dans plusieurs écoles, ou sous-traitent à d'autres, ou bien perçoivent un salaire mais sont absents. Dans l'administration et les « services publics », avoir un emploi et fournir un travail sont deux notions différentes, qui peuvent toutefois se recouper.

Une évidence : il n'y a ni assez d'écoles ni assez d'enseignants. Urgence partout, mais le plus grave problème est qualitatif : que ceux qui vont déjà à l'école y apprennent quelque chose ! Les autres devront attendre. Un constat difficile à admettre, ou à annoncer, pour les équipes au pouvoir. Les salaires des enseignants sont faibles, mais ce sont des salaires, et le prix des manuels scolaires est bas, mais trop élevé. Sans que s'améliorent les résultats, catastrophiques au baccalauréat, par exemple.

Les ONG partent d'un quadruple constat : langue maternelle créole pour 95 % des enfants ; français pas ou mal parlé par les enseignants (un tiers des professeurs de français des lycées ne comprennent pas les questions simples posées en français) ; manuels presque tous en français (ne parlons pas des autres ouvrages...) ; apprentissage distinct des deux langues peu pratiqué. Conséquences : enseignement livresque en français, sabir français-créole du maître, incapacité pour les élèves de maîtriser la lecture ou l'écriture dans l'une des deux langues.

La priorité devra rester pour longtemps à la formation des maîtres. Les rendre capables d'alphabétiser les enfants, en français ou en créole. En créole, bien sûr, si l'enseignant et les élèves ne connaissent que cette langue et si la scolarité s'annonce brève. Ce qui est le cas en secteur rural. Les conditions ? Développer les structures intermédiaires de formation, tenir compte du milieu, bousculer l'extrême conformisme des maîtres, plus soucieux de dire leur messe en latin – le français – que d'apprendre à écrire dans la langue de tous, offrir des outils à l'usage des enseignants (ou les diffuser, ils existent) et des manuels simples et polyvalents aux élèves.

Cela, il faut l'expliquer aux communautés de base. « Inter-aide », ONG française dans des zones reculées, a choisi cette voie. Les résultats sont là. Deux cents jeunes instituteurs et huit mille enfants de paysans lisent et écrivent, en créole bien sûr. À Cité-Soleil, l'immense bidonville du bord de mer, « SOS enfants » a choisi le tout français, du CP à la troisième, avec des maîtres parlant bien la langue, dans un environnement socialement très dur, mais plus perméable à la langue de René Depestre ou d'Aimé Césaire.

Qu'importe ! L'essentiel est que soit maîtrisée une langue et que le gros du peloton arrive à la première ville-étape. Tous les Ti-Claude et leurs pédagogues. Un objectif qui ne progresse guère.

Reste que la langue charrie bien plus que la lecture et l'écriture. Le créole est expression de la mère et de la misère, de l'humiliation et de l'émancipation, de l'identité et de l'infériorité. Sans le français, on n'est rien. Langue du colon. Langue du statut social. L'enjeu est idéologique. Met mal à l'aise. Dans ce domaine comme dans d'autres, ce que disent vos interlocuteurs n'est pas toujours ce qu'ils pensent, ou ce qu'ils font. Dans un hémisphère anglo-espagnol, le bagage français-créole ajoute peut-être un handicap complémentaire.

L'école n'est pas l'école de la République. Qu'il s'agisse de l'éducation, de la santé ou de la protection sociale, de la défense de l'environnement, comme on est loin de la notion de services publics ! L'école n'est pourtant pas ce qu'il y a de pire. Moins encore de droit à la santé que de droit à l'éducation ! Des secours aléatoires, le hasard, la charité, quand la vie, doucement, s'en va.

Avec un médecin pour dix mille habitants, un enfant sur huit meurt avant cinq ans. Chez le voisin cubain qui exporte en Haïti ses praticiens, cinquante-trois fois plus de médecins permettent de réduire la mortalité à un pour cent dix. Le rapport est de un à vingt pour les femmes mortes en couches, de un à onze pour la tuberculose et monte à soixante-cinq pour le sida[1].

Complètement laissé à l'abandon pendant la dernière période militaire (1991-1994), le système de santé a régressé. Le personnel a souvent fui les exactions de la soldatesque, qui poursuivait les proies blessées jusque dans les hôpitaux. Il fallait cent millions de dollars par an pour endiguer les progrès du sida, mais aussi de la tuberculose et de la typhoïde. La « crise politique » les a reportés *sine die* : d'abord, les députés haïtiens sont entrés en guerre contre l'exécutif en 1998 ; ensuite, la Banque interaméricaine de développement a sanctionné de mauvaises élections. Un cas doublement exemplaire de l'aveuglement des politiques et des effets d'embargos qui punissent les victimes.

En 2003, Paul Farmer, médecin et anthropologue, note :

> Les maladies infectieuses ravagent le pays, l'espérance de vie a décliné comme nulle part ailleurs dans l'hémisphère, elle est passée, en 2002, à moins de cinquante ans. Le personnel médical est complètement démoralisé. La commune de Thomonde, par exemple, dans le département

1. Ces chiffres sont issus du PNUD, *Rapport sur le développement humain*, 1991-2002.

du Centre, et ses quarante mille habitants n'ont disposé, durant toute une année, d'aucun docteur ni infirmière[2].

Chez Castro, Ti-Claude aurait trente fois plus de chances d'accéder à l'université ou, à défaut, la certitude de savoir écrire. On pourrait allonger la liste des records établis par un État, ou par une classe politique, tour à tour désinvolte, incompétent, irresponsable, destructeur ou obscurantiste. Un État au profit de quelques-uns. Sans le moindre devoir envers les citoyens.

Le Forum de Davos qui s'est tenu en 2003 classe les quatre-vingts principaux pays de la planète, cette fois selon leur richesse, leur croissance et leur compétitivité. En dernier : Haïti. Les maîtres du monde traquent aussi l'interventionnisme des États, entrave au libre développement du marché. Le meilleur élève, celui dont la dépense publique par habitant est la plus faible, celui qui pourrait donner des leçons de rigueur pour ce qui est des dépenses sociales, c'est Haïti.

Du Sahel à l'Asie du Sud-Est en passant par Madagascar, y a-t-il un État qui en fasse si peu en période de paix – éducation, accès à l'eau potable, électricité dans les campagnes ou trottoirs dans les villes... ?

Comme il le fit en 2002 pour rendre hommage à New York sinistré par les attentats, on imagine bien le Forum économique mondial quitter une fois les cimes enneigées de Davos pour le littoral mythique de la capitale de la « Perle des Antilles ». En grimpant sur les hauteurs de Port-au-Prince, il y découvrirait les laboratoires de luxe de la performance. Comment économiser à ce point sur le social que les services publics en deviennent inutiles ? Comment éradiquer ces dépenses collectives ailleurs si dispendieuses ?

Le Forum verrait ces Haïtiens qui récupèrent l'eau des toits pour leur piscine et s'approvisionnent par camion en eau potable.

Il en verrait des choses passionnantes, le Forum : un générateur qui produit l'électricité, le super 4 × 4 japonais si bien suspendu qu'il ignore les aléas de la route, l'Internet et le téléphone mobile, l'avion qui permet l'aller-retour dans la journée pour les emplettes à Miami, les appareils ménagers

2. Paul Farmer, *The Uses of Haiti* et *Pathologies of Power*, University of California Press, in *Le Monde diplomatique*, juillet 2003.

rendus inutiles par l'abondante et transparente domesticité, la case protégée par des gardiens armés. Le lycée français ou l'Union School scolarisent la progéniture à d'excellents niveaux. Chacun paie sa place : élèves et professeurs vivent bien.

Ni grèves ni pannes. Pas d'impôts, ou si peu. Juste pour la forme. Pas d'emprunts non plus. À Port-au-Prince, quelques milliers de précurseurs innovent. Véritables cobayes, ils ont privatisé et même individualisé tous les services. Ne quémandent rien à l'État. Reste à étendre l'expérience modèle aux 99,5 % qui tournent encore le dos à l'authentique post-modernité.

CHAPITRE 11. LA DÉRIVE

L'anniversaire est pour le 1er janvier 2004 : les deux cents ans d'Haïti ! On sait ce qu'il advint de la première indépendance. Qu'en est-il de la seconde, proclamée dans l'avalanche d'espoir et l'immense communion de l'hiver 1990-1991 ? Jean-Bertrand Aristide est revenu au pouvoir en février 2001, suite à l'élection présidentielle de décembre 2000. Comme si, une décennie plus tard, se décalquaient jour pour jour les mêmes joutes d'où émergeait le même lauréat ? Pour la seconde fois, un président élu succède à un président élu. La démocratie, d'expérience ou d'étape, deviendrait donc un état.

Titid, celui que la majorité des Haïtiens voyaient soit comme le messie enfin venu, soit comme le porte-parole d'une société plus juste, est de retour. Troisième chance ? Le bicentenaire, qu'il préside, coïncide-t-il avec le bond en avant espéré quinze ans plus tôt ?

Est-il *Tidid* ou Aristide, le frère de chacun ou un homme devenu d'État, singulier, apparu dans l'histoire singulière d'une Haïti répudiée par tous ? L'histoire de la première décennie Aristide (1986-1996) méritait une vraie place dans les manuels. Édifiante. Au moins réconciliatrice avec cet itinéraire bicentenaire où toujours triomphèrent les méchants. Ceux d'ici et d'ailleurs. L'histoire avait paru sortir de l'ornière et se faire conte moral. Quelle succession, en si peu de temps, d'événements atypiques ! Avec une fin heureuse, une conclusion morale. Les tenants du droit et de la démocratie auraient-ils marqué des points ?

Un bon petit curé de banlieue pauvre, très pauvre, aide ses ouailles à redresser la tête. De bonnes lectures – la théologie de la libération – l'y encouragent. Il fait école. Contre ses propres supérieurs vautrés dans le stupre et la fornication politiques. Sa notoriété, tel Boukman, atteint toute l'île. Malgré la précarité des moyens de communication. Le voilà candidat, puis président de la République. Conséquence d'une puissante ébullition populaire, dont il est un des acteurs. Au cours d'un sanglant coup d'État militaire fomenté par les privilégiés, il est sauvé par un très « chic » ambassadeur de France. Il est enfin ramené au pouvoir par l'aigle américain dont il était la proie. L'aigle a longtemps réfléchi, mais n'a pas trouvé d'autre solution. Quand le petit curé-président revient, il n'a pas perdu l'envie de changer son Haïti, il n'a pas renoncé. Il a gardé toute la confiance de son peuple de damnés. Avide de riz et de justice, sûr de sortir de sa damnation.

À lire le supplément de huit pages du plus grand quotidien français, *Le Monde*, du 8 mai 2003, on sent bien qu'Haïti s'ouvre au monde et sort de l'arriération. On devine aussi le pays à nouveau isolé ou puni. Sur six colonnes à la une, il est annoncé : « Un pays privé d'aide internationale jusqu'aux élections a dû rationaliser sa fiscalité et son économie. » Bigre, économie, fiscalité, rationalisation : les mots ont de quoi impressionner l'étranger, étonner le visiteur habitué de l'île. Pas le passager du *tap-tap* : lui ne connaît même pas *Le Monde* comme papier d'emballage. On n'utilise que les sacs plastiques non dégradables, nouvelle écume des vagues, qui battent le littoral portoprincien.

Le sommaire du journal laisse pantois. Même s'il s'inscrit banalement dans l'air du temps. L'économie y exerce sa domination habituelle. Il suffit de suivre, tout simplement, la chronologie des articles.

« Jean-Bertrand Aristide, la passion de la justice » : à qui donc a-t-il été rendu justice depuis dix ans ?

« L'aide internationale gérée par un organisme public finance des projets en faveur de l'agriculture » : on savait l'action des ONG dans ce domaine, l'État haïtien avait gardé le secret sur une démarche qui romprait avec deux siècles d'abandon des masses rurales...

« Le retour aux grands équilibres » : « les restructurations » sortiraient Haïti de l'informel et les exportations se développeraient ? Équilibres ? L'auteur, par souci de contraction, a-t-il confondu avec équilibrismes ?

« Le dynamisme du privé doit seconder la volonté du secteur public » : où donc s'applique ce vœu ? Dans la construction de ghettos sécurisés pour nantis ?

« Des chantiers contre vents et marée. Le gouvernement s'efforce de poursuivre la modernisation des infrastructures » : « s'efforce », la litote gâche tout. Il n'y a pas de chantiers de ce type. Quelques fontaines publiques en état de marche, moins de routes fréquentables et moins d'électricité, voilà tout ce que constate notre usager du *tap-tap*.

« Télécommunications : la fin des temps héroïques » : c'est bien vrai, le téléphone cellulaire facilite la vie de l'Haïti solvable – quelques dizaines de milliers de citoyens de première catégorie. Les autres se plaignent à peine : ils ne connaissaient pas le filaire, le vieux téléphone.

« Le tourisme réinventé » : sur place, on n'a pas vu de touristes, mais peut-être n'a-t-on pas prêté attention à l'invention. Où le brevet a-t-il été déposé ? La ministre précise avec humour : « Nous offrons une expérience unique et nous cherchons à nous faire connaître. »

« Carnaval et plages de rêve sont une combinaison dont les touristes ne se lassent pas » : sacré problème de conjugaison – ne se lasseraient pas s'ils osaient venir. C'est vrai que Préval a apporté routes et électricité dans le secteur de Jacmel, justement élu zone potentielle de tourisme. Mais le climat (politique) a dissuadé investisseurs et clients.

Ministres, responsables de grandes institutions publiques ou privées : chacun y exprime au moins une forte pensée sur fond de médaillon personnalisé. Le Premier ministre sait qu'Haïti va « se faire une meilleure place au sein de la communauté internationale ». On s'en doute. S'il le dit, c'est bien que les faits infirment chaque jour son intime conviction.

Dire, c'est être. À l'époque post-moderne, la communication tient lieu de contenu : voilà enfin un des secteurs où Haïti et ses élites baignent dans la mondialisation. Le « huit pages » ne lésine pas sur l'iconographie. Tous les personnages sont sérieux, responsables, professionnels, affairés, actifs, gais, bien nourris. Un peu de technologie, des sourires, des infrastructures d'apparence fonctionnelle et des bâtiments de bon goût, des produits du terroir. « Les artisans haïtiens fournissent en objets divers les marchés antillais. » La ministre de la Culture a raison : les touristes de Dominicanie ou de la Guadeloupe reviennent souvent avec ces objets gais et colorés, de toile, de fer ou de papier qu'ils croient produits dans leur lieu de villégiature.

Ils ignorent qu'ils sont fabriqués main en Haïti, et arrivés là *via* des circuits informels.

Ayiti Bel. Des images univoques. Une réalité d'efficacité. La sortie assurée du sous-développement ! De fait, une publicité aux allures d'un supplément documentaire dans un média de référence. Et dans d'autres sans doute, tout aussi coûteux. Comme le guide Gallimard paru deux ans plus tôt, comme l'invraisemblable supplément de vingt-quatre pages en quadrichromie, aubaine financière pour *Paris-Match* sous Préval. Avec *Le Monde*, on a lésiné : noir et blanc ! Alors qu'un peuple d'artistes s'échine à colorer un univers reçu gris en héritage.

Perplexe, l'usager du *tap-tap* ? Aurait-il raison seul contre toutes les sommités réunies dans un document qui paraît avoir l'onction du *Monde*, mais dont on sait clairement qu'il ne l'a pas ? Les publireportages se nourrissent d'une ambiguïté qui arrange les deux parties. Y a-t-il un visionnaire ou un halluciné ? Ou plusieurs ? Qui ment ? La réalité est-elle la réalité, ou seulement l'image de la réalité ? La vérité est-elle la vérité de ceux qui ont les moyens de la faire connaître ? Peut-on imaginer pareil abîme entre *pè* et *grangou* des rues de la ville, l'angoisse et la faim, et l'image choisie et diffusée par les autorités « responsables » ?

Mais c'est l'intention qui compte, et le gouverneur de la Banque centrale l'affirme : « Il faut essayer par tous les moyens de changer l'image d'Haïti à l'étranger. » Par tous les moyens. Il ne s'agit que d'image. Ne soyons pas trop sévères. La propagande a, dans l'histoire, atteint d'autres sommets. Elle a tué sans compter. Il n'est pas dit que celle-là ne tue pas. Outre le gaspillage de fonds publics, si rares, et si vitaux ailleurs, elle inverse les réalités et les priorités, rend le pays plus incompréhensible, illisible, schizophrénique, aux dépens de ceux dont la vie ne tient qu'à un fil.

Rien dans le dernier printemps d'avant le bicentenaire n'annonce cette aube nouvelle. Un printemps aux terribles bilans juxtaposés. « Reporters sans frontières » place Haïti dans les pays où la liberté de la presse n'est pas respectée. Des radios qui ferment, des menaces et des attentats contre des journalistes qui fuient... ou qui restent.

L'association internationale inscrit Aristide, pour la deuxième année consécutive, sur la liste internationale des prédateurs de la liberté de l'information. Ils sont une trentaine, des chefs d'État surtout. Aristide voisine avec

Bachar al-Assad, la junte birmane, Kim Jong-Il, quelques Africains ou les despotes des États successeurs de l'empire soviétique. RSF considère qu'« au mieux le président protège les assassins, au pire, il est lui-même impliqué dans le crime ».

L'association, locale celle-là, des médias haïtiens, distribue des prix à ceux qui résistent. Son président, Harold Jean-François, compare les atteintes permanentes aux libertés à celles de la période duvaliériste : « Il n'y a rien de nouveau sous le soleil. En Haïti, la presse a toujours été un métier de martyrs. » Cédant à un penchant manichéen qui s'aggrave, Aristide distingue « les journalistes qui cultivent le mensonge et ceux qui pratiquent la vérité ». Pour le président, celui de tous les Haïtiens, la « passion de la justice » est à rude épreuve !

À rude épreuve aussi quand la rubrique de l'insécurité s'alimente des atteintes aux libertés. Comme en ce simple jour de printemps où des militants du Mouvement des paysans de Papaye, la principale organisation syndicale, sont sauvagement agressés par un groupe *lavalassien*, couvert par la police. Mort s'ensuivra, mais ni enquête ni sanction.

Le jour suivant, un autre commando incendie la salle de contrôle et massacre le personnel de la principale centrale électrique, celle de Péligre, qui alimente la capitale. Un crime au service de qui ? D'un pouvoir fort qui porterait remède à l'anarchie provoquée ? On pourrait à nouveau dévider la pelote des exactions. Les victimes et les tortionnaires changent. Les premiers ont toujours tort ; les seconds ne risquent que l'échec, jamais la punition.

La « passion de la justice » ne se préoccupe pas plus de l'arbitraire politique que du dénuement social grandissant. L'ONU s'inquiète – lentement – de l'état catastrophique d'Haïti. L'effondrement brutal de la gourde, dans un pays qui importe l'essentiel, et sa conséquence première, le doublement du prix des produits pétroliers, accélèrent une crise endémique. Les denrées vitales se font inaccessibles.

En 2003, l'institution internationale annonce brusquement cent vingt-huit projets totalisant près de cent millions de dollars de dons. Une somme tout à la fois importante et dérisoire, débloquée pour répondre aux besoins urgents des « populations et communautés vulnérables ». Trente dollars par « bénéficiaire » ! Le Programme d'intégré de réponse (aux besoins urgents) [PIR] est mis en place. Il concerne « 3,8 millions d'Haïtiens en situation de pauvreté dont 2,4 millions frappés par l'insécurité alimentaire chronique ».

Un tiers de la population ! « Cette dégradation persistante, estime l'ONU, place les démunis en Haïti dans une situation comparable à celle d'une population sortant de conflits armés ayant duré plus de dix ans. »

Pourquoi ? « Crise économique sans précédent », proclame le rapport. Qui ajoute : « Au plan politique, l'État de droit est en panne. » Et d'énumérer les critères qui justifient l'urgence : la surexploitation de l'environnement, la vulnérabilité aux désastres naturels, la vétusté des infrastructures publiques et communautaires, le niveau élevé des migrations internes et externe, une dégradation accélérée de la situation politique depuis quelques mois. En quelques mots onusiens, le diagnostic est établi dans toute son étendue, l'arrêt rendu. Personne ne fera appel. Un seul regret : la prise de conscience s'est opérée à un train de sénateur. On ne se hasardera pas à engager les pronostics sur la vitesse de réalisation. Mais la situation est si désespérée que la FAO (Organisation des Nations unies pour l'alimentation et l'agriculture) ajoute, en fin d'année, des millions d'euros pour l'achat d'outils et de semences.

À qui confier le programme, révisable deux fois l'an ? Aux agences onusiennes, bien sûr, en partenariat avec les ONG surtout internationales. Les organisations locales seront des « acteurs essentiels ». L'administration haïtienne, c'est-à-dire l'État, est qualifiée de « partenaire précieux ». En langage diplomatique : il est précieux de se méfier de ce partenaire-là, mais l'ingérence du plan dans les affaires haïtiennes oblige à le ménager. Même si l'État ne fait peur qu'aux Haïtiens.

Simultanées, ces déclarations, intentions, proclamations. Rassemblées en un début de printemps. Les paroles et les réalités ont-elles encore entre elles une relation ? Quel rapport entre les mots de l'ONU et des médias et les actes et les paroles des gouvernants ? Désinvolture ou incapacité ? Haïti est-elle gouvernée par des imposteurs ou des mythomanes ? Revenue à son ancestrale coupure entre gouvernants, politiques ou économiques, et peuple d'exclus en attente ? Ressuscitée avec *Titid*, la masse des croquants est-elle à nouveau éconduite, chassée, oubliée, par Aristide et les siens ? Dans une Haïti malade, qui se demande si elle existe ? Ou si mieux vaudrait renoncer ?

Sauve qui peut ! Comment les fragiles institutions de 1996, en apparent état de marche, se réduisent-elles aux deux fonctions régaliennes d'un

État assiégé en pitoyable état : l'intimidation et l'esbroufe ? La répression et la propagande ?

Quelle responsabilité pour l'acteur vedette de la période ? Pour un mouvement qu'il domine sans conteste et sans concurrence ? Aristide, de prophète charismatique est devenu homme politique haïtien ordinaire. Jouant des formules, des frustrations et des recettes habituelles. Encore le livre des recettes aurait-il besoin d'une édition augmentée ou rénovée, tant elles paraissent avoir été usées par lui-même et ses devanciers.

Au-delà des émotions, des *dechoukaj* et des révolutions, des coups de colère et des coups de force, des sursauts et des élections, des tutelles successives, oligarque ou étrangère, comment une société engendre-t-elle pareille faculté à redevenir elle-même : enfermée, allergique aux influences ou aux repères extérieurs, repliée sur le modèle mental colonial et le caciquat politique ?

Ce n'est pas que la faute d'un homme qui parut libre et se révèle prisonnier du pire. Qui eut trois chances, un privilège rare en politique.

> Un type, comme le dit brutalement un de ses anciens amis, que l'histoire avait pris sous sa garde, qui le portait, qui ne comprend rien à l'histoire ou qui se croit tellement fort qu'il la dédaigne, qui descend des hauteurs pour se vautrer dans la fange de la conjoncture, qui se complaît à des rencontres obscènes et vaines avec des ennemis nains ou des amis malsains, qu'il légitime en leur parlant. Quel con ! En plus, il veut être non seulement président, mais Premier ministre, tous les ministres, curé et *hougan*, recteur de l'université, rédacteur en chef de tous les journaux, écrits, radio ou télé, des écrivains, des cinéastes, des groupes musicaux qui chantent. Il faut lui demander la permission avant toute chose.

Le jeune retraité rentré chez lui en hélicoptère le 7 février 1996 ne doute pas qu'il lui reste un rôle actif à jouer. Aucune raison d'émigrer, comme tant de ses prédécesseurs trop heureux de sauver leur peau face à l'émeute, lui a le choix. Sa popularité reste immense. Quel jardin va-t-il cultiver ?

Il pourrait voir la politique de haut et de loin, jouer les autorités morales au-dessus de la mêlée. Mieux : se transformer en ambassadeur itinérant au profit de son pays, muni d'un carnet d'adresses que l'exil a garni. Au profit d'Haïti et, pourquoi pas, du tiers-monde, dont il est apparu comme l'un des dirigeants fréquentables. La distance permettrait de laisser à son successeur le règlement d'épineuses questions : privatisations, ajustement structurel, infrastructures, décentralisation... Un exécutif plus concret, plus pratique succéderait au gouvernement du verbe. On attend de Ti-René des réalisations pendant les cinq ans d'intermède. Car Préval n'a d'autre ambition que de rendre à Aristide un pouvoir dont il n'est que le gérant.

Malgré quelques déplacements prometteurs, Aristide ne fait pas ce choix-là. Il sera haïtien et rien d'autre. Oubliera le reste du monde, à l'exception de quelques utiles et coûteux relais américains. Ne quittera guère sa résidence très surveillée de Tabarre, dont il confiera la garde à une société américaine spécialisée. Une puissante fondation lui permet de cultiver les relations directes avec les groupes de base, les coopératives, les associations, les *ti-legliz*. Personne, surtout pas lui, ne doute du rendez-vous de 2000.

Après quelques mois de mandat, et malgré d'inévitables concessions, son successeur est déjà le dos au mur. Il est reçu par les grands de ce monde (Clinton, Chirac)... pour s'entendre intimer l'ordre de privatiser et de « réduire le train de vie de l'État », alors que le budget national équivaut, pour un pays de huit millions d'habitants, à celui d'une ville française de deux ou trois cent mille âmes, ou au coût quotidien de l'armée américaine en Irak. Ce budget dépend pourtant, pour plus de la moitié, de l'aide extérieure. L'un des conseillers du nouveau président parle de « chirurgie sans anesthésie. Mais sans autre choix, sous la pression, même après trois ans d'embargo.

L'État haïtien est aux abois. Le FMI exclut des priorités le système éducatif et sanitaire, pourtant dans un état pitoyable, le développement rural et, bien sûr, la réforme agraire. La Banque mondiale prévoit, mondialisation libérale oblige, la disparition en vingt ans des deux tiers de la paysannerie. Conséquence : la brutalité économique opère, mais d'abord comme école d'une délinquance qui se développe dangereusement. Comme si l'on voulait faire douter les Haïtiens de la « bonne gouvernance » par ailleurs vantée, les renvoyer à leurs habitudes de marronnage ou porter au paroxysme les frustrations accumulées.

Les conjoncturistes ne sont pas tous sûrs du pire. Ils comptent parfois sur l'intérêt stratégique de leur pays. Qu'ils surestiment. Il a pu être un enjeu de politique extérieure en 1994, confortant l'image d'un Clinton étendant, sans dommage militaire, la démocratie à tout le continent. Ce n'est plus le cas. Les États-Unis ont fait leur devoir. Et l'ont dit. Communication fait loi.

Les souffrances du plus pauvre de l'hémisphère exaspèrent donc autant qu'elles apitoient.

« Situation politique et économique désespérante », diagnostique en 1999 John Conyers, doyen du Black Caucus et soutien majeur du retour à l'ordre constitutionnel. L'Union européenne, principal bailleur de fonds, opine dans le même sens. Ses représentants ne croient plus à la venue d'une ère de stabilité-prospérité, même relative, toujours différée. Ce qui tient lieu de pouvoir n'est pas plus capable de faire face à un cyclone – George – qu'à en grossir les dégâts pour jouer de la commisération internationale. Il n'apportera guère de soutien réel à ceux qui instruisent le dossier contre Duvalier réfugié en France. Ni à ceux qui voudraient troubler la quiétude des généraux putschistes dans leur exil doré.

La régression s'accélère dans l'indifférence. L'impasse est double : institutionnelle et économique. S'y ajoute un cruel déficit d'espoir. Les organisations populaires subissent encore les conséquences de la saignée qui a suivi le coup d'État de 1991. Elles sont atomisées, mal structurées, et leurs réactions sont sporadiques. Préval préside une démocratie toujours plus formelle. L'homme est honnête, mais sans charisme et sans projet. N'aime ni les dossiers ni le long terme. Mais fait sienne, dans la pratique, la formule sarcastique de Régis Debray : « Soyez réalistes, croyez aux symboles[1] ! »

Apparences d'abord ! Quand il distribue des terres de l'État à quelques dizaines de paysans, est-ce la réforme agraire, ou ses prémices ? L'agronome Préval fait semblant de le croire. Peut-être même le croit-il, tant le symbole tient lieu de réalité. Chacun sait bien que le dossier n'a pas été préparé, qu'il sera bientôt classé sans suite.

Les élections législatives de 1995 avaient sonné la déroute des anciens partis politiques, plus ou moins compromis avec la dictature. Triomphait la coalition *Bò tab la*. Le mouvement populaire *Lavalas* bénéficiait, sous cette appellation, de l'audience intacte du président Aristide, principal repère des masses haïtiennes. Elles ignoraient, en votant *Titid*, qu'elles choisissaient des parlementaires préalablement divisés.

Le « prophète » parti (février 1996), la scission à l'intérieur du mouvement devient si profonde qu'elle paralyse complètement les institutions.

---

1. *Loués soient nos seigneurs*, Paris, Gallimard, 1996.

Entre Gérard Pierre-Charles, le leader de l'Organisation du peuple en lutte (OPL), qui domine les groupes parlementaires, et Jean-Bertrand Aristide, l'incompréhension devient totale. « Un mouvement social de grande ampleur a été confisqué, analyse le premier. Nous voulions le charpenter, hors des vieilles pratiques haïtiennes. Aristide est l'héritier d'un populisme qui n'a rien d'antilibéral. C'est un joueur, un fabulateur. »

Dans les assemblées prévalent l'astuce juridique, le calcul, le court terme, le marchandage permanent... dans un pays qui manque de tout. Le (non-)fonctionnement pousse le crétinisme parlementaire à ses limites. Et au divorce total d'avec les électeurs.

Aristide, que ses adversaires de l'OPL considèrent comme un dangereux démagogue, voire le champion de la duplicité et du vol, lance à son tour une organisation politique, *Lafanmi Lavalas*, et rallie une grosse minorité à l'Assemblée nationale, le « groupe antinéolibéral ». Les différences de programmes entre les frères ennemis sont moins perceptibles que celles de leurs parcours. Appellations incontrôlées d'origine marxiste ou chrétienne radicale. L'ancien président se méfie, lui, des « élus bureaucratisés qui font vite écran au peuple ». Une catégorie nombreuse et insubmersible, qu'il n'éliminera pas. D'autant moins que son programme, présenté comme émanation des groupes de base, est un patchwork de bonnes intentions sociales et de recommandations libérales. *Investir dans l'humain* : un titre prometteur que dément l'absence de choix clairs entre des priorités multiples. Le catalogue sous-estime la fragilité et la dépendance d'un pays sans moyens et sans repères dans une économie mondialisée.

Il suffit d'élections partielles favorables à *Lafanmi Lavalas*, en avril 1997, pour que s'alourdisse le climat. Moins de 5 % de votants ! Sans compter quelques irrégularités dans un pays où l'organisation d'élections tourne vite au casse-tête et où nul n'accepte jamais le rôle ingrat de perdant. Le gouvernement Rosny Smarth démissionne. Le Conseil électoral, condition *sine qua non* à toute organisation ou validation d'un scrutin, implose en plusieurs étapes. Le taux d'abstention constitue plus qu'un avertissement, une gifle pour les uns, un espoir pour ceux qui rêvent d'un retour au vote censitaire de fait. Un retour à la politique réservée aux lettrés ou aux marchands de clientèles.

Après juin 1997, le pays fonctionne sans gouvernement. Le président, au pouvoir constitutionnel théoriquement limité et à l'activité réduite, propose des Premiers ministres, tous rejetés par l'Assemblée ou la Cour des comptes. L'OPL veut un homme proche et des garanties. Le travail législatif est bloqué, ainsi que la signature de tout emprunt, accord ou traité. Tant pis pour la piétaille qui attendait de certains paraphes électricité ou dispensaires !

Jacques-Édouard Alexis, ministre de l'Éducation du gouvernement précédent, à la compétence reconnue, finit par émerger. Le voilà investi en janvier 1999, après six mois de marchandages et d'expertises. Son programme – la Constitution opère le distinguo entre l'homme et son projet – n'est pas encore voté et risque, ultime coup fourré, de ne pas l'être. Justement, Préval constate la fin de la législature, prévue effectivement en janvier 1999, et coupe la logistique parlementaire. Les sénateurs, eux, s'étaient autoprolongés.

Il n'y avait déjà plus de Premier ministre, il n'y aura plus de députés. Chacun promet la « mise sur pied d'une instance de sortie de crise ». Politique s'entend. Ce qui prendra un an et demi. La classe politique, si prompte à accaparer un État pourtant déliquescent, pousse le théâtre ubuesque aux limites de la durée, l'irresponsabilité à son paroxysme. Les records ont vocation à être battus. Ils vont l'être.

Seule sortie honorable : la tenue d'élections « rapides » à tous les niveaux, excepté présidentiel – le mandat de Préval s'achève en 2001. Le cul-de-sac institutionnel dure depuis trois ans. Étonnante vacuité du pouvoir dans un pays où, pourtant, les aventuriers ne manquent pas pour trouver les raccourcis qui mènent au sommet de l'État !

Le processus électoral, centralisé par le CEP (Conseil électoral provisoire), est en fait à trois tours. Les deux derniers, comme dans bien des pays, pour « choisir d'abord, éliminer ensuite ». Le premier tour n'en finit pas : c'est l'organisation. Qui n'est pas neutre. L'opposition accuse Préval, et en sous-main son prédécesseur, de retarder le scrutin par peur de le perdre. L'intendance suit laborieusement, dans un pays où l'électricité et les routes sont intermittentes, où deux électeurs sur trois ne savent pas lire et où la campagne électorale se mène en créole, alors que l'administration utilise le français.

21 mai 2000 : après un an et demi sans gouvernement et autant sans Parlement, on vote. Pratiquement, il s'agit de pourvoir à toutes les fonctions

électives, à l'exception de la présidence de la République, prévue à la fin de la même année. Tous les partis contre Aristide, dont personne ne doute du retour imminent. Famille *Lavalas* contre tous les autres, rassemblés dans la Convergence démocratique. Selon les moments et les estimations, une trentaine de partis politiques squelettiques et surtout portoprinciens, allant du néoduvaliérisme à la social-démocratie. Les programmes pèsent moins que les personnalités, souvent lourdement lestées par leur passé. Nombre d'entre elles ont pactisé avec la dictature. Comme celles du Pampra, toujours adhérent à l'Internationale socialiste. D'autres bénéficient aux États-Unis du soutien du Parti républicain.

Première victoire : la participation. Elle atteint les records de 1990. Le climat d'insécurité aurait pu décourager les électeurs. Surtout du fait de l'apparition des *chimères*, bandes armées issues d'organisations populaires dégénérées, vouées à l'intimidation au profit du pouvoir. D'interminables files d'électeurs, des heures durant, sont la preuve d'une incroyable rage de voter. Un rite qui initie à un temps meilleur ? L'impression que l'enjeu en vaut la chandelle ? Ou qu'il s'agit d'exercer ou de préserver un droit pour lequel beaucoup sont morts ? Un droit qui consacre un citoyen qui n'en a pas d'autres ? Étonnante maturité des citoyens quand les politiciens comme les bilans sont si décevants !

Le dépouillement dure tard dans la nuit, souvent à la lumière des chandelles. Famille *Lavalas* obtient, globalement, la majorité absolue. Nombre de ses candidats l'emportent au premier tour. Comme à l'accoutumée, il y a eu des carences, quelques fraudes, des incidents sérieux. Les observateurs internationaux, nombreux et pressés que la crise se dénoue, donnent leur bénédiction. La mission du Congrès américain opine : « Le scrutin s'est déroulé dans une atmosphère sereine et pacifique. » L'opposition, qui dénonce la fraude avant même la clôture du vote, est défaite. L'OPL surtout. Les électeurs, pour qui *Lavalas* signifie Aristide, expulsent le coucou opportunément installé dans le nid *lavalassien*.

Les partisans d'Aristide, dont la victoire est plus que probable, la veulent immédiate et totale. Se dispenser même du second tour quand il est nécessaire ! Quitte à inaugurer d'étranges règles arithmétiques et d'insupportables pressions sur Léon Manus, président du Conseil électoral, qui fuit le pays. Le parti victorieux, au nom du tout tout de suite, veut écrabouiller l'adversaire. Aristide a pu souffrir, en 1991 et 1995, de ces majorités élues en brandissant son portrait et devenant opposition. Gagnant pressé, il regonfle une opposition chétive, dépitée et mauvaise perdante. Celle-ci, à défaut de trouver des électeurs et des motifs de satisfaction venus des urnes, donne un caractère légitime à sa protestation. Devient parangon de vertu. Trouve auprès de l'étranger, garant fatigué du processus, des soutiens qui pèsent lourd.

La victoire éclair, qui ne respecte pas les règles, devient victoire à la Pyrrhus. L'Union européenne, moins regardante au Congo ou au Gabon (exportateurs de pétrole), en Tunisie (intérêts économiques majeurs) ou en Russie (puissance nucléaire régionale), dénonce, après l'OEA, des truquages réels. Ici, la démocratie sera pure ou ne sera pas ! C'est la victoire à la Pyrrhus qui triomphe, entre bouffonnerie et poker menteur. Faux-semblants et vraies menaces.

La réélection d'Aristide sans adversaires crédibles et sans électeurs, en décembre 2000, n'y change rien. La dérive politique est totale. Le pays impuissant, sans la moindre force politique de rechange, assiste des années durant, contraint et forcé, à la représentation d'*Ubu Roi*. Qu'importe si ce qui tient lieu d'économie fait eau de toutes parts, si la gourde en perdition crée chaque jour des pauvres plus pauvres, le spectacle est devenu feuilleton. Chaque acteur joue son rôle avec un zèle qu'il n'aurait pas pour le service de l'État. Le défi de chacun ? Tenir, durer.

La Convergence (rassemblement de la quasi-totalité des partis d'opposition) nomme un contre-président de la République, Gérard Gourgue. La communauté internationale maintient le gel de tous les crédits. L'ambitieux programme de grands travaux annoncés lors de l'investiture d'Aristide reste une ambition de plus. Un exercice de style. Le pouvoir, sans le sou, finit par concéder les quelques sièges de parlementaires trop vite élus.

Trop tard. L'opposition veut plus : de nouvelles élections. En espérant qu'elles ne se feront pas. Elle craint trop de les perdre. Entre duvaliéristes, sociaux-démocrates et *tutti quanti*, deux points communs et deux seuls : ils sont tous anti-Aristide et coupés du peuple. Pour le reste, la Convergence est surtout divergence à géométrie variable. Syndicat de perdants contre un pouvoir aux abois, inefficace et incohérent. Les *chimères* multiplient les actes de violence. Cibles préférées : les politiciens, les militants, les journalistes. En toute impunité, comme toujours.

L'arbitraire du pouvoir, la corruption grandissante de *Lavalas* ne suffisent pas à légitimer une opposition balayée dans les urnes, sans programme ni racines. Impossible de reconstituer le Conseil électoral, même provisoire ! Les ministres sont sans réalité, dépouillés par la présidence des rares dossiers qui avancent. L'activité de l'État est toute tournée vers la « crise ». La classe politique y consacre toute son énergie, ou presque : les sénateurs trouvent encore un peu de temps pour un juteux trafic de riz d'importation. Dénoncé par ceux d'entre eux qui n'y ont pas eu leur part… et la réclament. Le Premier ministre se bat pour obtenir une résidence digne, à plus d'un million de dollars. À l'intérieur du camp *lavalassien* lui-même pleuvent les accusations de corruption. À corrompu corrompu et demi. Plus s'appauvrit le pays, plus s'aiguise la lutte pour le partage des dépouilles.

À toute généralisation ses exceptions. Un sénateur s'exclame en 2002 :

> Je ne sais si vous avez connu le mouvement *Lavalas* dans les années 1990. Moi, j'ai vécu les années 1990, je crois avoir vu un gouvernement, je crois avoir vu des gens à la tête du pays se soucier de l'intérêt général. Mais ce gouvernement, à mon avis, a dégénéré, il y a plein de gens dans *Lavalas* qui n'ont rien à voir avec le peuple. Ces gens-là, ils sont au niveau de *Lavalas*, ils sont des *lavalassiens* zélés, fanatiques. Fanatiques par rapport à leurs poches. Moi, je les appelle gangsters.

En 1991, Aristide dénonçait les bourgeois *patripoches*. Dix ans après, les procureurs sont-ils devenus des délinquants ? Victimes au pouvoir d'une pente que nul ne remonte jamais en Haïti ?

La neutralisation des forces en présence se nourrit, bien sûr, de l'actualité. Et d'abord de violences dont la lecture tactique permet des interprétations diverses. Certains coups fourrés laissent interdit le spectateur d'une partie d'échecs. La marchande de mangue et l'usager du *tap-tap* sont à coup sûr les perdants du jeu. Dans ce feuilleton dérisoire, ils ne pèsent pas lourd. Pas facile de comprendre, même chez ceux qui comptent, à qui profite le crime. Puisqu'on n'en connaît jamais les commanditaires.

Le 28 juillet 2001, des commandos partent à l'assaut de l'académie de police et de plusieurs commissariats. Quelle faction est responsable ? Qui a voulu créer la panique ? Le 17 décembre, c'est le tour du Palais national. Aristide est absent. Vrai faux coup d'État ? Provocation ? Réalité ? Montage ?

On n'en saura pas davantage. Une seule certitude : le *dechoukaj* immédiat des locaux d'opposition et de quelques autres par les bandes armées, la relance de l'atmosphère insécuritaire.

Après avoir gagné en force les élections de 2000, *Lavalas* a pensé que le *blan* finirait par les homologuer. Selon que vous êtes le Venezuela ou l'Égypte, la barre qui permet la qualification n'est pas placée à la même hauteur. Vous êtes petit et pauvre ? Misérable en fait ? Alors, vous vous devez d'être le meilleur. Sinon, dure sanction ! Vous devez atteindre les cimes de la démocratie pour être reconnu ou absous. Aristide l'a oublié : l'Américain, surtout quand il devient républicain, ne l'aime pas. Malgré des concessions, il n'est pas prêt à relancer ou à autoriser les flux financiers vitaux. Même après la période de deuil de démocratie. Il faut donc négocier la levée de l'embargo qui se prolonge. Et, comme d'habitude, sans monnaie d'échange.

Voilà Haïti de nouveau confrontée à l'OEA, dont les verdicts seront d'avance reconnus par le reste du monde. Processus électoral, réparations aux victimes, impartialité de l'État, garantie des droits humains, justice : les résolutions 806 et 822 alimentent ballet diplomatique et tractations. Haïti échappe à Haïti. Pas plus *Lavalas*, qui change de gouvernement, que la Convergence, qui perd quelques adhérents, ne souhaitent un accord. Le pouvoir sans pouvoir y aurait intérêt. On introduit même un troisième larron, la société civile. En vain. Le compromis durable n'est pas dans les mœurs. Malgré la répétition des dates butoirs et des ultimatums. Secrétaires généraux de l'OEA, du Caricom (Association des pays caribéens) et bien d'autres, diplomates de haut vol ou tâcherons anonymes, qu'importent les noms et les titres, les dates et le nombre d'allers-retours, la santé du mourant est à toute épreuve !

La survalorisation du pouvoir politique accélère la désagrégation. Puisque les élections vont venir, toute administration, toute réforme, toute réflexion s'immobilise. On retient son souffle. Le pays vit en apnée.

Le huis clos dans lequel s'emmure avec désinvolture la classe politique est pathétique. Faire du dilatoire : c'est ainsi qu'on dénomme ici le phénomène. Il peut durer aussi longtemps qu'une querelle d'experts européens s'étripant à propos de l'attribution d'une appellation. Le chocolat qui ne contient que 95 % de beurre de cacao est-il du chocolat ? Ce qui n'empêche pas les citoyens européens de continuer à se bâfrer de produits chocolatés. Les Haïtiens, eux, n'ont guère le loisir de suivre les méandres du dilatoire.

Il n'y a de chocolat que pour les artistes de la scène. Pour les autres, des patates amères et rares.

Elle est loin, la seconde indépendance ! Retour à la quarantaine et à la dépendance, les deux vieilles compagnes. Sortie de l'histoire aussi discrète que l'entrée fut fracassante ? *Peyi ayiti mouri.* Une réponse qui vient de partout.

CHAPITRE 12. L'ÉCONOMIE *TÈT ANBA*

La junte militaire au pouvoir de 1991 à 1994 avait fait du trafic de drogue son principal moyen d'existence. Le colonel Michel François organisait en Haïti l'une des meilleures étapes du transit entre Colombie et Floride. Le retour du président élu, Jean-Bertrand Aristide, après le débarquement américain, changea la donne. La présence de la Minuha (la Mission des Nations unies pour Haïti) et la dissolution de l'armée haïtienne, en 1995, marquèrent un fléchissement dans les transbordements de cocaïne.

Quelques années plus tard, l'Haïti « démocratique » pulvérise ses records d'antan. 15 % de la drogue entrant aux États-Unis transite par l'île. Le droit de patrouiller à leur gré dans les eaux haïtiennes, obtenu par les Américains en 1997 dans le cadre de la lutte antidrogue, semble plus efficace pour intercepter les *boat people* qui tentent de gagner la Floride.

En ce qui concerne la police haïtienne, on est en droit de s'interroger sur les saisies détournées et la fuite de certains responsables : « Dans les années 1990, les opposants à Aristide liés au trafic ont reçu l'appui de la CIA. Aujourd'hui, le relais a été pris par les haut gradés de la police nationale, seul organisme chargé de lutter contre le narco-trafic. Au mois de janvier 1998, quatre cent cinquante kilos de cocaïne ont été détournés par des policiers qui n'étaient pas en service[1]. » Ce n'était qu'un début...

1. *La Dépêche internationale des drogues*, décembre 1998.

En 2003, l'état-major de la police est pris la main dans le sac. On n'en finirait pas de dresser la liste des hauts responsables impliqués, des politiques qui les couvrent ou des trafiquants libérés. De prétendus dealers sont abattus, le directeur de la police judiciaire disparaît opportunément, le haut état-major oublie de se réunir, le numéro un de la police attend un rapport, le ministre n'est pas au courant, le Premier ministre n'a rien à dire. On n'arrête pas même un lampiste. Une diversion vient à point nommé, une affaire chasse l'autre : insaisissable jeu de rôles, impunité garantie.

La dépêche d'Alterpresse[2], la très professionnelle agence haïtienne en ligne, datée du 22 juin 2003, vaut une longue analyse.

> Directeur général par intérim de la police nationale d'Haïti, Jean-Robert Faveur a démissionné ce 21 juin 2003 de son poste, moins d'un mois après son entrée en fonction.
> Citant des sources fiables, Radio Kiskeya a indiqué que Jean-Robert Faveur se serait réfugié dans une ambassade étrangère ou se trouverait déjà à l'étranger.
> La démission serait motivée par une mainmise du pouvoir exécutif sur l'institution policière et le non-respect des règlements. Le directeur général de la police aurait subi de fortes pressions pour signer des ordres de promotion et de transfert. Les membres de son cabinet lui auraient été imposés et il n'aurait pas eu droit de signature sur les comptes de la police nationale.

Un peu plus tard, le conditionnel devient présent. Versions de ses supérieurs : abandon de poste, complot (de l'étranger), voire trafic de drogue. La diabolisation s'enclenche. Réaction de l'intéressé : « Plutôt l'exil que de se laisser corrompre ou asservir. » En réintégrant d'emblée, par exemple, les policiers dealers ou en prêtant sa signature à d'étranges promotions. Pris à la gorge par le manque de trésorerie, le pouvoir avait cédé à la pression extérieure en nommant un homme reconnu pour sa compétence, mais qui n'était pas du clan, à la veille d'une difficile réunion avec l'OEA. L'« impartialité de l'État » n'a pas tenu trois semaines.

La police a pourtant besoin d'un chef, issu de ses rangs. Jocelyne Pierre est parachutée dans la police le 27 juin et remplace Faveur le 28. Une

2. alterpresse@medialternatif.org

ascension qui scandalise mais n'étonne pas. On en revient ensuite au train-train de l'arbitraire.

Tous les ingrédients sont ici réunis de l'intrusion permanente et menaçante de la présidence, de l'absence avérée de séparation des pouvoirs. À l'instar de la magistrature ou de la presse, faut-il imaginer une association de défense de la police ? Et, plus tard, une association de défense des associations de défense, à leur tour menacées ? L'exemple montre *a contrario* l'existence de résistants, de cadres capables d'initier d'autres modèles... s'ils ne sont pas isolés.

Se conjuguent de nombreux facteurs favorables au dérapage généralisé : la présence de l'ONU s'est d'abord amoindrie et banalisée, avant qu'elle ne disparaisse tout à fait ; plusieurs familles de l'oligarchie disposent de ports quasi privés ; les criminels militaro-mafieux, que les États-Unis ont renoncé à poursuivre, prêtent depuis l'extérieur leur savoir-faire ; les droits communs haïtiens condamnés aux États-Unis sont réexpédiés depuis 1995 dans leur pays d'origine. La fonction publique, déjà inefficace, est d'autant plus ouverte à la corruption que ses agents sont irrégulièrement payés.

Bref, l'absence d'autorité et de stratégie de l'État engendre un laisser-faire et une corruption généralisés. La drogue transite sans grand risque, puis gagne les États-Unis *via* la République dominicaine ou les autres îles. Le même laxisme qui permet l'écoulement de la cocaïne favorise d'autres trafics. « L'immobilisme, souligne un ministre anonyme, trouve des partisans jusque dans les populations de certains ports. Ajoutez-y la peur de parler ou la fiabilité incertaine de la police. »

Pour Washington, l'île a perdu de son intérêt spécifique. On trouve ailleurs de la main-d'œuvre bon marché, dans des contrées aux infrastructures moins délabrées et aux superstructures plus sûres. Selon le *Los Angeles Times*[3], le fait que la corruption y soit l'une des moins chères du monde expliquerait pourquoi « les cartels ont miné l'effort mené par les Américains pour construire une force de police professionnelle ». Qu'elle est complaisante et perméable la frontière entre les mondes du renseignement, du trafic et de la politique bas de gamme ! D'autant que chaque service américain protège ses réseaux.

---

3. 9 novembre 1998.

En revanche, le remplacement éventuel de Guantanamo par une base haïtienne, de l'autre côté du canal du Vent, reste une éventualité. Un pays anémique et désespéré constitue certes un facteur de troubles, mais aussi un interlocuteur qui ne résiste pas.

La drogue ? L'île n'en produit ni n'en consomme. Mais un sixième de la cocaïne entrant aux États-Unis, le plus souvent par la Floride, passe par Haïti. Les chiffres, selon la DEA (Agence américaine de lutte contre la drogue), atteignent au début du XXIe siècle un record : près de quatre-vingts tonnes venues principalement de Colombie ont transité par Haïti contre cinquante-quatre estimées en 1998, soit 15 % de toute la cocaïne arrivant sur le marché américain et 10 % de celle qui parvient dans l'Union européenne. Les prises, elles, restent des plus modestes. L'île devient l'une des voies les plus sûres du transit.

Haïti est parfaitement située, entre la Colombie et la Floride : mille cinq cents kilomètres de côtes et un espace aérien sans surveillance. C'est aussi un pays désorganisé à souhait. Le type même du pays sans État, sans moyens, en proie à des conflits politiques interminables et à une corruption généralisée mais bon marché. Pain béni pour les hommes du cartel de Cali, installés dans l'un des palaces de Pétion-Ville, banlieue résidentielle de Port-au-Prince, un lieu qui paraît hors d'Haïti, dans un confort baroque et tape-à-l'œil, le seul où le personnel de réception, bien élevé, ait appris l'espagnol.

Vedettes rapides ou petits avions, la cocaïne arrive un peu partout. Et pas toujours dans la discrétion. Ainsi, en octobre 2000, dans l'extrême Nord-Ouest, près du môle Saint-Nicolas, un avion colombien atterrit sur une piste légèrement balisée, lesté de quatre cents kilos de cocaïne. Destinataire : la police locale qui attend l'appareil. Indiscrétion ? Calcul ? La population, informée, réclame sa part. Comme ailleurs, dans la Grande Anse ou près des Cayes un peu plus tôt, cela devient presque une habitude.

La police ne veut pas partager un bien dont elle n'est que le transitaire. Les paysans organisent des barrages, récupèrent le pick-up de la police... et la drogue. La maréchaussée, craignant le pire, prend la fuite. L'avion, abandonné par le pilote, est brûlé. Quelques jours plus tard arrivent des policiers antiémeute et des civils (pas colombiens, mais portoprinciens) chargés de récupérer ce qui peut l'être. Par la contrainte ou la négociation.

Le passage de la cargaison laisse quelques traces d'enrichissement local. Soit par paiement d'un pourcentage, soit par acheminement privé vers Port-au-Prince, en bateau, au milieu des chargements de charbon de bois. Plus sûre que les semailles en zone sèche, la dope venue du ciel ou de la mer !

Michel Denizé, alors chef de la police, aurait pu envoyer quelques-uns des quarante policiers spécialistes antidrogue. Ce ne fut pas le cas. La police haïtienne, pourtant formée par l'ONU après la dissolution de l'armée, collabore avec les mafias de toutes sortes. Pourquoi, quand on est nommé à Miragoâne, petit port de toutes les contrebandes, ouvrir l'œil pour deux cents dollars par mois quand on peut les fermer pour dix fois plus ? Et se construire une grosse maison avec domestiques, génératrice et 4 × 4.

L'attitude de la population, sauf dans la capitale où elle souffre durement de l'insécurité, est ambiguë. Le long des côtes méridionales, les trafics (voitures volées importées, contrebandes diverses, drogue) donnent de l'ouvrage à une partie de la population (transport, maquillage, faux papiers...) et assurent l'approvisionnement du commerce informel. À Cap-Haïtien, on trouve des spécialistes de la cache qui résiste aux investigations des douanes américaines.

Douloureux échec pour la communauté internationale : cette police a été formée par elle. Six mille hommes au départ, moins de quatre mille aujourd'hui. Quelques révocations pour corruption avérée, sous la présidence Préval, mais surtout une réintégration de nombreux éléments de l'ancienne armée, routiers de la concussion et des basses besognes. Conséquence : beaucoup d'éléments sains s'en vont.

La promotion formée à Regina, au Canada, une centaine d'officiers comprenant un tiers d'Haïtiano-Canadiens, se disloque jusqu'au dernier, au contact des réalités du terrain, d'un pouvoir faible, de réflexes politiques claniques et d'un système judiciaire délétère. « Ordre de laisser faire quand nous sommes appelés, racket des gens arrêtés, mutations aberrantes, surveillance de résidences privées contre rémunération... le contraire de ce que nous avions appris. Je gênais », rappelle l'un des derniers à démissionner.

De policiers dans la rue, point ! On en trouve quelques-uns dans les commissariats. Un tiers surtout dans les unités d'élite qui dépendent du Palais national. On peut aussi toucher son chèque tout en animant une des multiples officines de police privée. À défaut d'uniformes de la police nationale, les Portoprinciens peuvent rencontrer des nuées de gardes armés, au hasard des rues, des banques et des résidences haut de gamme. On atteint des records. Pas le plus petit supermarché qui ne soit doté d'un homme plus un *uzi*.

Justement, les stations-service-supermarchés, les banques, les sociétés d'import-export et surtout les résidences et les 4 × 4 de grand luxe se multiplient. Les distributeurs de billets et les réseaux de téléphones cellulaires apparaissent. Une petite partie de l'argent de la drogue s'investit ici (l'essentiel est placé dans les pays sûrs, notamment les États-Unis), les banques appliquant avec complaisance la loi qui limite les transactions en liquide. L'argent facile et arrogant coule à Pétion-Ville, mais pas dans les poches des marchandes de fruits et des employés de maison. Le bâtiment connaît, c'est vrai, un indiscutable essor. Mais pas pour loger les services publics !

La présence massive de l'ONU, après 1994, avait contribué à diminuer le rôle d'Haïti comme plaque tournante de la cocaïne. Mais la formation de la police ne s'est accompagnée ni de pas décisifs dans la justice ni du décollage économique promis. Jamais un dealer ne reste bien longtemps en prison. Qui se rebellerait face aux pressions du cartel, à celles de quelques grandes familles ou des fractions corrompues de l'appareil d'État ?

Les institutions ne résistent pas. Les démêlés du puissant sénateur *lavalassien* Dany Toussaint apparaissent au grand jour. Manipulateur de milices, il est soupçonné de trafic de drogue par la justice états-unienne et de complicité d'assassinat en Haïti. La drogue, *via* une partie de la police, touche d'autres élus.

L'ampleur du trafic permet de nouvelles formes de redistribution. Par l'emploi créé, les sommes en jeu, même localement, les liens avec d'autres arrangements de contrebande, l'intéressement inattendu de populations locales, le blanchiment, le financement indirect d'une partie de la vie politique et le développement du bâtiment au profit de la grande bourgeoisie, la drogue devient un secteur majeur de la vie économique locale. Un substitut au développement. Plus lucratif sans doute que l'exportation d'œuvres d'art appréciées dans le monde entier ou celle de produits assemblés dans la zone portuaire, où les rares industriels doivent s'équiper de chiens anti-drogue spécialisés. Pour éviter les surcharges intempestives ajoutées à leurs conteneurs.

Dans son discours d'investiture, le 7 février 2001, Aristide a lié « la lutte pour la réduction de la pauvreté [qui] exige qu'on extirpe toute forme de corruption dans les pouvoirs publics par l'application des mesures administratives et pénales » à « la mise en œuvre de certaines mesures incitatives, encourageant ceux qui se conforment à la loi ». Le vaste programme de développement annoncé pour 2004 n'a pas avancé d'un pouce. Il se heurte pour l'instant aux sanctions internationales. Comment Haïti renoncerait-elle aux dividendes inavouables de la drogue, faute d'un soutien massif au développement, incluant notamment une transformation des rouages de l'État ?

Qui, aujourd'hui, a les moyens de lutter contre ce gonflement du transit de la drogue en Haïti ? Une police locale renforcée et débarrassée de l'influence grandissante de l'ex-armée serait une aide précieuse pour qui contrôle la mer et les airs. Mais Haïti dispose, pour rappeler son existence au géant voisin qui la méprise, de si peu de monnaie d'échange : la drogue, les *boat people* et, sur place, la solidarité fatiguée de la communauté noire.

Un traité concédé par Préval en 1997 donne aux forces spéciales des États-Unis toute possibilité d'intervention dans les eaux territoriales et l'espace aérien haïtiens. Sans restriction aucune. Les gardes-côtes américains, dans leur volonté de réduire l'immigration, manifestent autrement plus de zèle à l'égard des *boat people* haïtiens, il est vrai plus poussifs que les vedettes rapides venues de Colombie. La CIA dispose, par ailleurs, d'assez d'agents à l'intérieur de la police partiellement formée aux États-Unis. La frontière dominicaine, où stationne une unité locale spécialement formée, n'arrête ni le flux migratoire (cent à deux cents Haïtiens par jour) ni le transit de la poudre des ports haïtiens aux ports dominicains.

Haïti n'a pas obtenu ces dernières années le certificat de bonne conduite délivré annuellement par le gouvernement américain. Sans pour autant figurer sur la liste des narco-États. La nouvelle administration républicaine, hostile à l'intervention de 1994 qui a rétabli Aristide et peu préoccupée de développement, pourrait franchir ce pas. Haïti sur la liste noire ? Un bouc émissaire idéal qui masquerait l'inconséquence des États-Unis à mener de pair lutte antidrogue et libre-échangisme forcené.

La peur de figurer sur la liste noire contraindra-elle la seconde mandature d'Aristide à une inversion dans les tendances lourdes au sein de sa police ? C'est lui qui a dissous l'armée d'Haïti. Une garantie anti*pronunciamiento*. Mais il a trop instrumentalisé la police pour redonner un sens à ses missions : la protection des libertés et la lutte contre la pègre. Et non l'inverse.

On peut donc le craindre : les paysans de Port-de-Paix et les dockers de Miragoâne peuvent espérer garder leur emploi et continueront d'attendre les dollars tombés du ciel ; les seigneurs de Pétion-Ville, colombiens ou autres, connus de tous, conserveront leur place au bord de la piscine de l'hôtel. Même s'il profite à quelques-uns, l'argent de la drogue ralentit à peine l'inexorable dégringolade du pays. L'aide internationale, en grande partie stérilisée depuis 1998, manque cruellement. Jamais l'état socio-économique de l'île n'a été aussi catastrophique !

Les élections de 2001 ont finalement aggravé la rétention des crédits. Les sommes en *stand-by* représentent bien plus que le budget du pays, incapable d'assurer un fonctionnement minimal, mais prélevant, avec ponctualité, les 15 % nécessaires au service de la dette. Une dette, comme ailleurs, remboursée trois fois mais toujours due.

1997-2003 : autant d'années où furent gelés, et souvent perdus, les dons et les crédits internationaux. Ne l'oublions pas, un blocage prolongé devient perte sèche. De plus, les bailleurs de fonds ne sont pas souvent des donateurs, mais des prêteurs. Les nouvelles et vagues promesses du Sommet des Amériques à Québec ne coûteront pas trop à leurs signataires. Les dossiers ne sont même plus instruits.

Se trouve cassé l'un des piliers de l'économie haïtienne, une économie *tèt anba*, sans queue ni tête, informelle pour l'essentiel, qui importe cinq fois plus qu'elle n'exporte. Jamais le pouvoir, sauf dans des documents publicitaires, n'a défini d'objectifs économiques ni revendiqué l'équité commerciale. L'aide internationale publique (l'Union européenne était en tête) a disparu. Les projets d'infrastructures aussi et, *a fortiori*, les travaux.

Subsiste l'apport vital mais incontrôlé des ONG. Elles se comptent par centaines dans le pays, un record ! Avec une kyrielle d'américaines, issues de sectes religieuses, parfois plus prosélytes que soucieuses de progrès. Qui se substituent à l'État partout défaillant. Et se spécialisent dans une aide d'urgence qui perdure ou dans un développement qui respecte plus ou moins les traditions ou les aspirations indigènes. Un petit coup de chapeau pourtant aux ONG européennes, souvent moins arrogantes et plus laïques. Pour toutes, Haïti constitue un Far West : chacune délimite son territoire, ses modes d'action et d'intervention. Ce sont surtout les autorités locales, quand elles existent, qui sont les premières à profiter des retombées.

On vit moins mal dans certaines contrées que dans d'autres, surtout quand on sait profiter de la concurrence que se livrent les religions ou les sectes américaines. « Viens donc dans mon église et nous remplirons ta gamelle et celle de tes enfants. » Une présence assidue peut même donner droit à un ersatz d'école, à quelques vêtements, voire davantage si l'on sait emmener vers le sanctuaire de nouvelles âmes intéressées. Qu'on ne s'imagine pas pour autant le catholicisme et le vaudou en perdition, même s'ils peinent face à une concurrence agressive. Les Haïtiens, grands amateurs de loterie, dernier espoir du pauvre, prennent souvent une troisième chance.

La diaspora contribue plus encore à l'économie de survie. Les deux millions d'Haïtiens de New York, de Miami, de Montréal ou des Antilles apportent près d'un milliard de dollars, trois fois le budget de l'État. Ils assurent la survie d'une partie des huit millions de l'intérieur. Ainsi le quart de la population dispose-t-il d'une rente, d'autant plus incertaine que la relation familiale avec ceux de l'extérieur s'affaiblit. Les enfants de l'exil regardent parfois Haïti comme un « pays en dehors ». Extérieur aux valeurs des pays où ils baignent. Les lendemains, ici aussi, déchantent.

Un lien pourtant précieux, même si le pays paraît, aux yeux des expatriés du dixième département (l'île en compte neuf), incohérent ou paralysé. Le paradoxe n'est qu'apparent : un pays qui n'exporte (presque) rien parvient à faire entrer le nécessaire pour beaucoup... et le superflu pour quelques-uns.

L'émigration a longtemps absorbé le trop-plein... Qui aujourd'hui a envie d'accueillir encore ? Qui a besoin d'une main-d'œuvre non qualifiée, noire, sans le sou et potentiellement porteuse du sida ? Qu'importe la nature de la démocratie haïtienne, elle sera bonne si elle préserve l'Amérique des *boat people* !

Dans le même temps, la diaspora encourage, par sa « réussite », à fuir le pays. Depuis 1998, la vacuité politique a favorisé le développement des mafias et un appauvrissement généralisé. Dans le même temps, l'incertitude de l'avenir a triplé la fuite des cerveaux. Des centaines de professionnels, les diplômés, quittent chaque année le pays. Ils feront défaut pour toute reconstruction ultérieure. Internet accélère les décisions personnelles ou administratives. Les grandes firmes, voire la province de Québec, y font à bon compte leur marché.

Menacée d'être traitée comme un narco-État, privée de crédit pour cause de mauvaises élections, verdict décrété au surplus par les États-Unis, orfèvre en la matière, Haïti se voit pomper une matière grise rare, dont la formation constituait un des seuls investissements durables de la société.

Le calcul n'est pas facile : et si la fuite des cerveaux représentait, en valeur, autant que les fonds refusés ? Des chercheurs estiment l'hypothèse aujourd'hui plausible, voire probable. Double peine, économique et intellectuelle ! Qui s'ajoute à l'image catastrophique de port franc de la drogue. Un embargo plus diabolique encore que celui qui déstabilisa un peu plus la « Perle des Antilles », sans résultat pour la démocratie, de 1991 à 1994 ! Haïti perd à la fois ses crédits et ses cadres.

Bien sûr, l'argent venu de New York ou de Montréal est promptement dépensé en Haïti. Le commerce d'importation est aux mains de grandes familles portoprinciennes, jadis monopoles privés protégés par l'État. À chacune son secteur d'importation, et gare à qui voudrait jouer de la concurrence ! L'argent du dixième département retourne finalement très vite d'où il vient, *via* la City ou la Boston Bank.

La crise, dont se repaît la classe politique, n'est pas essentiellement politique pour les citoyens de seconde classe. Hors des cénacles du pouvoir, elle est illisible, sinon dans sa dimension économique et sociale. Entre l'ajustement structurel et un insupportable *statu quo*, y a-t-il une troisième voie ? Priorité à la réforme agraire et à l'alphabétisation, disait *Lavalas*. Il n'y a plus de priorité.

La déconfiture des coopératives a ajouté au discrédit de l'État. Jouant sur la crédulité du public attiré par des taux d'intérêt à deux chiffres, des margoulins ont drainé une épargne populaire pourtant difficile à mobiliser. Patatras ! Les dépôts se sont volatilisés, en 2002, avec les responsables. L'État, qui avait encouragé le processus, a promis de « faire toute la lumière ». Des dizaines de milliers d'épargnants attendront longtemps la lumière. Sans illusions : impunité garantie pour les commanditaires de l'escroquerie.

Les maîtres d'Haïti, ceux de l'intérieur et les autres, ont un point commun : ils ne veulent pas d'État, fût-il modestement stratège ou arbitre.

Développer et cimenter une nation, jamais ! La loi de la jungle a ici tellement fait ses preuves.

Qu'Haïti supprime ses barrières douanières (pourtant bien discrètes) et s'ouvre massivement aux céréales et autres produits américains ! Que l'État licencie à tour de bras ses fonctionnaires, il est vrai routiniers et dépendants du système ! Qu'il vende aux compagnies américaines les secteurs prometteurs que sont le téléphone, l'électricité, le port et l'aéroport de la capitale ! C'est ce que réclamait Al Gore, le vice-président américain, en 1995, en échange de bonnes routes et autres infrastructures vitales.

Les taxes douanières, quand elles sont perçues, sont passées de 50 à 5 %. Autant dire que les rares productions locales sont exposées au pire. Le téléphone cellulaire s'est installé en catimini. C'est-à-dire sans appel d'offres transparent et sans recette pour l'État, mais non sans profit pour ses serviteurs ou leurs amis américains. Les privatisations ne furent pas franches, mais rampantes. Les entreprises publiques sont, il est vrai, de confortables sinécures pour les amis.

Des années après, la route nationale n° 1 relie toujours les deux grandes villes du pays dans les pires conditions. Plus l'État produit d'électricité, plus il s'appauvrit, les branchements clandestins et les factures impayées formant plus de la moitié du total. Le sous-sol n'a rien révélé. L'emploi, ce sont d'abord les journaliers et les domestiques. Quelques *djobs* dans le secteur agroalimentaire. L'industrie rassemble sur la zone aéroportuaire les entreprises d'assemblage. Trente mille emplois. Si Haïti offre la main-d'œuvre la moins chère des Amériques, ses infrastructures n'encouragent guère les investisseurs.

On tient le moyen d'y remédier. Avec l'aide de la Banque mondiale. Le long de la frontière dominicaine, autour de Ouamaminthe, dans la plaine de Maribarou, les expropriations de terres ont commencé. Dans la violence, comme à l'accoutumée. Sans consultation des intéressés. But : créer des zones franches, entièrement contrôlées par des intérêts américano-dominicains, en lien exclusif avec l'extérieur. Zones de non-droit, elles ont fait leurs preuves au Mexique et ailleurs, mais jamais à des conditions de salaires aussi dérisoires. Quand se mécanisera la récolte de la canne, les nouveaux *braceros* intégreront de modernes *bateys* : les *maquiladoras*. Haïti condamnée à renouveler la forme de l'esclavage, pour mieux en conserver le principe ?

La frontière terrestre, la seule d'Haïti, constitue d'ailleurs à elle seule une zone de non-droit pour les Haïtiens. Aucune administration ne s'inquiète des exactions de l'armée dominicaine, des expulsions, des rançons ou des sévices quotidiens. Deux à trois mille enfants esclaves transitent en Dominicanie. Le différentiel de développement est facteur de tentations et de tensions nouvelles. Il paraît même, depuis quelque temps, inquiéter davantage le gouvernement dominicain que la présidence haïtienne.

La Banque mondiale exclut des priorités les systèmes sanitaire et éducatif ainsi que l'aménagement rural. Suivant la tradition haïtienne, la réforme agraire n'aura jamais dépassé le stade symbolique. La malnutrition, si on en croit l'Unicef, a doublé de 1997 à 2003, touchant plus des deux cinquièmes de la population.

La Banque mondiale avait anticipé tout cela dès 1996. Un rapport interne condamnait à mort les deux tiers des ruraux, incapables de survivre aux lois du marché. Même si certaines ONG redoublent d'efforts pour maintenir l'emploi rural. « Les contraintes issues d'un volume de production et d'un potentiel de ressources faibles ne laisseront à la population que deux possibilités : travailler dans l'industrie et les services ou émigrer. » Ce qui signifie, pour la majorité des habitants du Nord-Ouest ou du Plateau central, qui a aujourd'hui moins de vingt ans : pas de futur, si ce n'est résigné.

La même institution financière a précisé plus récemment : « Les deux tiers des citadins vivent avec moins de vingt-cinq dollars par mois, 58 % des chefs de famille sont analphabètes, 8,4 % des femmes de Cité-Soleil, l'immense bidonville du bord de mer à Port-au-Prince, sont séropositives. 50 % de la population a accès à des services de santé. » Ce à quoi la FAO renchérit : « Les Haïtiens disposent d'une ration alimentaire de 1 830 calories par jour. Les concurrents de la Course autour du monde en consomment 7 000, les pays les plus pauvres d'Amérique latine 2 780. »

L'impasse politique n'est rien, comparée à l'impasse individuelle. Sur une échelle de cent soixante-quinze pays classés selon leur indice de développement humain, indice plus conforme à la réalité sociale que le PNB par habitant, Haïti est passée en huit ans du cent vingt-quatrième au cent quarante-sixième rang en 2002[4]. La terre d'Haïti, aux inégalités insultantes, est décidément mauvaise mère.

Pas plus que le politique, l'économie n'est ici fondée. Archaïque jusqu'aux années 1980, elle s'est ensuite effondrée, au rythme des soubresauts politiques. Sans autres règles que celles de l'informel, elle ignore les hommes. La majorité, les ruraux, sont renvoyés à une autarcie sans issue. La gourde, dernier repère, glisse à son tour en 2003, engendrant un insupportable renchérissement du coût de la vie. Une vie qui coûte cher, mais ne vaut rien.

Conséquence : la brutalité économique et l'insécurité alimentaire opèrent, mais d'abord comme école de résignation ou de délinquance, celles-ci se développant dangereusement. Violence ou acceptation du pire ? Le recours au choix macoute ! Comme si l'on voulait faire douter les Haïtiens de toute possibilité d'ouverture, casser toute velléité de citoyenneté. Barrer les issues qui ne renverraient pas à la sujétion ou au marronnage.

4. *El País* classe Haïti au cent cinquantième rang, 12 septembre 2003.

Troisième partie
Derrière la montagne, il y a une montagne*

** Deye mon se mon*
Proverbe créole

La liberté réservée aux seuls partisans du gouvernement, aux seuls membres d'un parti, si nombreux soient-ils, ce n'est pas la liberté. La liberté, c'est toujours la liberté de celui qui pense autrement.

Rosa Luxembourg
Spartakus Briefe, 1918.

CHAPITRE 13. LA CULTURE DE L'IMPUNITÉ

À quelques éphémères exceptions près, la justice n'est jamais entrée dans l'histoire d'Haïti. Le mot pourtant revient comme une antienne. Dans la bouche des gouvernants eux-mêmes, qui n'en sont jamais avares. Dans celle des candidats. Plus encore dans les revendications populaires. *Jistis.* Pour les laissés-pour-compte, une exigence bien plus forte que l'abstraite démocratie !

Lutter contre l'impunité : l'État de droit, de retour en 1994, en faisait sa priorité. L'armée était dissoute, une police nouvelle formée. Aucune loi d'amnistie ne protégeait le régime putschiste. Les exactions des militaires ou de leurs *attachés* pouvaient être sanctionnées. Pour la première fois paraissait s'ouvrir un boulevard à la justice. Et la concrétisation des dommages dus aux victimes. Une première ! Autant que punir, il s'agissait de réparer, de fonder la nation sur d'autres bases que l'oubli, la déchirure ou l'impunité. Quelle démocratie pourrait fonctionner dans le prolongement de ces habitudes, quel État de droit être légitime sans sanction du crime ?

Une Commission nationale de vérité et de justice siège de 1994 à 1996. Triple ambition : enquêter sur les violations des droits de l'homme sous la dictature, proposer une indemnisation des victimes et recommander des réformes des institutions, dans son domaine. Le rapport s'intitule *Si m'pa rele*, « Si je ne proteste pas »... Exister, c'est créer des ruptures qui ne soient pas seulement des *dechoukaj* sans lendemain.

Vaine investigation ! Lettre morte : un seul véritable procès ira jusqu'au bout, celui du massacre de Raboteau, en 2000. La pression des associations locales et internationales fut décisive. Une expédition punitive, dans un bidonville de Gonaïves, réputé pro-Aristide, avait fait des dizaines de victimes en 1994. D'anciens militaires et des *attachés* sont reconnus coupables. Les responsables de la junte au pouvoir, à commencer par le général Cédras, sont condamnés par contumace à de lourdes peines, assorties de quarante millions de dollars d'amendes. Du jamais vu !

Raboteau sera l'exception. Nul besoin d'amnistie. De l'intérieur et de l'extérieur, on préfère s'en tenir là. Le général Avril, arrêté, ne moisira pas longtemps en prison. Jamais les autres officiers ne seront inquiétés dans leur retraite.

Les réformes, pourtant, n'ont pas manqué : création d'un Office de protection du citoyen, d'une École de la magistrature, d'une Commission pour la réforme de la justice... et surtout d'une police civile, dotée progressivement de tous les instruments nécessaires, formée avec l'aide de la communauté internationale. Code de déontologie, inspection générale, éducation aux droits de l'homme : la PNH (police nationale d'Haïti) manifestait un incontestable progrès. Mais l'intégration d'éléments de l'ancienne armée, sa politisation, l'irrésistible contamination de la corruption, la création de milices privées, y compris par les élus, les démissions et quelques révocations ont affaibli l'institution. Force au service des citoyens ou instrument du pouvoir ? Le choix se fait lentement. Face aux « organisations populaires », devenues bandes au service de *Lavalas*, elle se montre timide. Sa non-intervention tourne à la connivence avec les groupes armés. Et rappelle le comportement habituel des forces de répression dans le pays.

À quelques détails près, le crime organisé jouit de la même impunité, les armes prolifèrent, Haïti exporte la cocaïne et importe les délinquants. L'idée que des policiers, recrutés au mérite, défendent la population fait sourire. Au sommet comme en bas de la société. La police, en quelques années, s'est construit une image : elle commet les délits qu'elle est censée poursuivre. Quelques-uns, dans l'opposition, appellent à la résurrection de l'armée ! Façon de pousser la régression à son terme !

Imaginons que la police arrête des suspects. Ce qui peut arriver. Encore s'agit-il souvent de droits communs isolés ou d'individus suspects... au pouvoir en place. Il faudrait pouvoir les juger. Si les anciennes forces de sécurité ont été démantelées, le système judiciaire demeure. Réformé dans les intentions, il reste désuet, incompétent, influençable. Bref, corrompu au dernier degré. Et inaccessible au plus grand nombre.

En 1999, à Carrefour-Feuilles, un commissaire et quatre policiers sont condamnés à des peines légères pour onze exécutions de suspects. Ce type de procès est unique, et le restera sans doute. On entend deux types d'explications complémentaires à cet état de fait. La première : remis au juge, les présumés coupables auraient été libérés. La seconde : les juges auraient pris, en condamnant les policiers, le risque de représailles terribles. Qui les protégerait ?

La création d'une École de la magistrature en 1995 manifestait une volonté. À long terme. On ne forme pas *illico presto* de bons juges. Pour la première fois, une vingtaine de diplômés sortent chaque année, avec le concours de la coopération internationale. Parmi eux, quelques-uns décidés, malgré les pesanteurs, les blocages et les menaces, à lutter contre l'impunité et la pression de l'exécutif. Progrès ténu, mais suffisant pour inquiéter le pouvoir.

Le voilà, en 2003, qui oublie d'affecter les nouveaux juges, en recrute en dehors de l'école après avoir contraint à l'exil Willy Lubin, directeur de l'institution. Le ministre de la Justice, un ancien putschiste, veille à ce que le système ne fonctionne pas, mais ne décide pas seul. Un décret manque, par exemple, pour ouvrir l'Institut médico-légal, opérationnel tant en matériel qu'en personnel. Il pourrait apporter un concours décisif dans l'élucidation des crimes. La signature tarde, malgré les réclamations extérieures, celles des financeurs et des observateurs.

Première également : les magistrats ont à leur tour créé une association de défense de la justice. À leur tour, parce que toutes les catégories sensibles y viennent. Les citoyens sont seuls à défendre les garanties constitutionnelles, qui sont ailleurs l'apanage de l'État. Réaction dudit État : la condamnation de toute forme d'association, « nuisible à la sérénité de la justice » ! L'association, voilà le trublion, donc l'ennemi, le ver dans le fruit sain !

Ces faits ont un sens : s'interdire de faire la preuve, ou au moins d'apporter des éléments qui contribuent à sa recherche. Un laboratoire, une police scientifique, une médecine légale, des juges professionnels : tous existent, grâce à des concours extérieurs, mais sont invités à ne pas fonctionner.

Les médecins légistes ou les juges qualifiés et courageux sont sans travail, dans un pays où les criminels courent. Comme si le pouvoir voulait les y aider. Comme s'il préférait invoquer le manque de moyens. Une excuse souvent réelle dans tant de secteurs, mais alibi dans ce cas.

L'atteinte à l'impartialité, et à la crédibilité de la justice, en a vu d'autres. Le 30 septembre 2002, Aristide nomme ministre de la Justice Calixte Delatour. L'homme de main des Duvalier, impliqué dans plusieurs coups tordus, conseiller écouté de la dernière junte militaire, entre en fonction pour le onzième anniversaire du putsch le plus dévastateur. Jour pour jour. Dans un pays où pèsent si lourd les symboles, est-ce pur hasard ? Aristide soutient qu'il ne trouvait personne d'assez courageux. Delatour a en effet une qualité : il est pugnace et décidé, c'est un homme de parole, dit-on, qui met toujours ses menaces à exécution.

Faut-il considérer cette promotion de l'homme des mafias politico-militaires comme une réponse au Forum citoyen pour la réforme de la justice pénale, tenu, trois jours plus tôt, sous l'égide des trois principales organisations de défense des droits de l'homme ? Elles dénonçaient le fonctionnement catastrophique du système judiciaire. Certaines y voyaient le retour pur et simple à la « logique impudente du coup d'État ».

La justice n'est plus une priorité. Quand elle pourrait s'exercer, elle dérange. Le pouvoir préfère-t-il la justice spontanée, qu'il est loin de contrôler, les bavures qui l'arrangent souvent, le gênent parfois et lui ôte le crédit qui lui resterait ? Plus valsent les ministres, plus s'enterrent les dossiers. Reste la justice expéditive : celle de la police, de groupes occultes, de forces de déstabilisation aux commanditaires indéfinis. Sans compter les règlements de comptes entre groupes criminels. Et la justice populaire, exutoire toléré, qui peut faire subir les pires avanies aux voleurs de riz.

Le succès de *Lavalas*, en 2000, aggrave la précarité de ceux qui contestent le pouvoir. Quand Aristide appelle à la tolérance zéro contre les criminels, les actions d'intimidation redoublent. Qui peuvent venir de tout bord. Les groupes armés, issus du *Lumpenproletariat* ou des milieux duvaliéristes, travaillent pour qui les paie. À la façon de *condottieri*, ils peuvent changer de patron, voire se mettre à leur propre compte. Ou se trouver un parrain qui émergera demain.

En 2001, à la veille d'un possible accord entre *Lavalas* et l'opposition, quatre commissariats et l'académie de police, qui abrite les forces spéciales, sont pris d'assaut. Pas la moindre arrestation ! Provocation, intimidation, avertissement ? Un peu plus tard, le Palais national est investi en pleine nuit. Il faut quatre heures pour que les assaillants décrochent. Les recherches, pourtant conduites par un hélicoptère, n'aboutissent pas. On assiste en revanche à la mise à sac d'une cinquantaine de locaux d'organisations diverses ou de domiciles de personnes. Toutes hostiles à *Lavalas* ou critiques vis-à-vis du régime. Dans la capitale ou en province. Un an après, selon le ministre de la Justice lui-même, aucune arrestation n'a été jugée utile.

Les prisons pourtant débordent de détenus. Leur nombre a doublé en dix ans. On peut être jeté dans une cellule et ne rencontrer, des années durant, aucun juge d'instruction. On peut aussi en sortir promptement. Selon que vous serez puissant ou misérable... « Une autre cause de surdensité carcérale tient à l'extrême sévérité de certaines peines, disproportionnées par rapport aux faits. Par exemple, quinze ans d'emprisonnement pour le vol de trois brouettes ou condamnation à perpétuité pour le vol d'un sac de riz[1]. »

2002 ou 2003, on n'en finirait pas d'égrener le chapelet des exactions. Qui opposent parfois les OP (organisations populaires) entre elles. Cité-Soleil est devenue zone de non-droit. La lutte pour le contrôle se fait à coups de maisons incendiées, de viols punitifs et de meurtres. Le Palais national reçoit pourtant les chefs de bandes armées. Les victimes et leurs familles ont beau réclamer réparation, elles ne bénéficient pas des mêmes égards. Tout le monde connaît les auteurs ou les commanditaires de ces exactions. Aucune poursuite n'est engagée. Les pouvoirs publics, en général, dénoncent la violence. Ils estiment sans doute se dégager d'une paternité et d'une responsabilité... qui leur incombent pleinement.

Aristide est-il pleinement responsable ? Comme chef d'État, assurément. Il n'est pas difficile de comprendre à quel point la lutte contre l'impunité, ardente obligation du début des années 1990, est devenue le dernier de ses

1. Commission des droits de l'homme de l'ONU, rapport de Louis Joinet, expert indépendant, décembre 2002.

soucis ; comment les réformes, nombreuses, se sont heurtées au goût du secret et du pouvoir ; comment l'apprenti sorcier peut parfois être victime de forces encouragées, lâchées, mais incontrôlables, peu sensibles aux contre-ordres ou aux aléas tactiques ; comment l'autonomie peut gagner des groupes de sicaires plus puissants que le suzerain ; combien une popularité vacillante peut rendre vassal. Qui sera l'obligé de l'autre, quand s'effiloche l'autorité morale ?

Mieux qu'une dramatique et ennuyeuse accumulation de faits, de mobiles et d'indices, deux personnalités, deux affaires, illustrent la dérive régnante. Ou le retour aux valeurs ancestrales de l'arbitraire et de l'impunité, après la parenthèse de transparence et de justice annoncée et amorcée par Aristide. On s'excusera d'associer les deux noms. Dans l'ordre alphabétique et chronologique : Jean Dominique et Amiot Métayer.

Le 3 avril 2000, le journaliste le plus connu d'Haïti et son chauffeur sont assassinés. Opposant aux Duvalier, plusieurs fois victime de la répression, Jean Dominique dirige Radio Haïti Inter. Il sait la force des ondes, dans son pays. En 1986, ils étaient des milliers à lui faire un triomphe. Comme ils rempliront les quinze mille places du stade Sylvio Cator pour ses funérailles nationales. À commencer par Préval, président et ami du journaliste, Aristide et tant d'autres. Personne ne manque.

Intransigeant, incisif, indépendant, Jean Dominique ! Peu enclin aux concessions, il aurait fait ici un homme politique inopportun. Fidèle partisan de *Lavalas*, mais critique à l'égard de tous les voyous, sans distinction d'étiquette. Préval, en fin de mandat, est pourtant décidé à tout mettre en œuvre pour retrouver les assassins. On peut le croire. L'un et l'autre ont mené le même combat pour la démocratie.

Un premier juge d'instruction démissionne. Le deuxième aussi, menacé de mort. Le troisième, Claudy Gassant, s'entête. Quand il arrête six suspects, il est lui-même en danger. Il remet au procureur les renseignements recueillis et démissionne avant de s'exiler. La pression internationale s'amplifie. Sa sécurité enfin garantie, le juge Gassant revient. Août 2001 : il demande la levée de l'immunité parlementaire du sénateur Dany Toussaint. Le Sénat réfléchit... longuement. Pas un sénateur ne peut douter que le personnage soit plus que glauque : dealer, trafiquant d'armes et d'influence, chef de milice. Il est un baron puissant, *lavalassien* de toujours, fidèle entre les fidèles. Jusqu'au faîte du pouvoir, qui n'en a pas peur ?

Janvier 2002 : le président Aristide ne reconduit pas le mandat du juge Gassant, mais nomme trois de ses collègues. Il lui manque un rapport du ministre sur les méthodes de l'instruction ! Le Sénat, quant à lui, demande des éclaircissements. Le dilatoire alterne avec la violence. Comme dit la Constitution, « il incombe à toutes les institutions, gouvernementales et autres, de respecter l'indépendance de la magistrature ». Quelle loi fondamentale dirait le contraire ? Tous ceux qui traitent du dossier sont menacés de mort. La femme de Jean Dominique, Michèle Montas, est visée à son tour, un de ses gardiens est abattu. 2003 : cette fois, Radio Haïti Inter, qui avait continué d'émettre, quitte les ondes. Définitivement ?

Un nouveau juge est nommé, l'instruction hâtivement bâclée. On ne peut demander à tous de jouer les Zorro. Pas plus en Haïti que dans des États de droit, où les juges antimafia sont autrement protégés !

De toutes les libertés rétablies en Haïti, celle de la presse a longtemps résisté. Elle conditionne les autres. Sans médias, qui signalera les enlèvements, les matraquages de militants non conformes, les réunions perturbées et les manifestations interdites, bref les atteintes aux libertés formellement garanties par la loi ?

Le métier de journaliste n'est soumis à « aucune autorisation ni censure ». Les radios sont pourtant une cible facile pour les menaces anonymes comme pour les groupes armés. Pas plus la télévision, aux mains du pouvoir, que la presse écrite ne pèsent vraiment, vu l'état du pays. Leur médiocre qualité va de pair avec l'étroitesse de leurs marchés.

Vive, interactive, pleine de verve et parfois d'insolence, la radio fait mouche. La pression est donc permanente, qui conduit les chroniqueurs à choisir parfois entre autocensure – il n'y a pas de bureau pour ça – et marronnage à risque. D'autant que l'État, pour les stations privées, est aussi un annonceur important. Jamais la moindre exaction n'a donné lieu à arrestation. Jean Dominique est la plus illustre victime, mais pas la seule.

On poursuit, mais on ne rattrape jamais. Le pouvoir lui-même se fait tantôt sévère, tantôt cajoleur avec les médias. Il condamne lui aussi les intimidations. Et parfois « les violences d'où qu'elles viennent ». Aristide s'en prend aux *zenglendos*, les gangsters, dénonce les brutalités. Mais la police n'interroge aucun suspect, n'arrête personne. Le message est à double sens et à double tranchant. L'opinion enregistre les dénégations ou les bonnes intentions. Les journalistes comprennent qu'ils ne bénéficieront d'aucune protection ni d'aucune rémission. L'épée reste au-dessus des têtes... quand elle n'est pas dans les reins. Comme ce 12 juillet 2003, où la violence est même annoncée par le maire adjoint de Cité-Soleil.

Les cent quatre-vingt-quatre organisations de la société civile avaient décidé de se réunir au centre Sainte-Thérèse. Les OP frappent durement : une cinquantaine de blessés, par pierres ou par balles, dont six journalistes, volontairement maltraités. Présente, la police ne bronche pas. Comme le dit le Gralip (Groupe de réflexion et d'action pour la liberté de la presse), la nouvelle directrice de la police « a raté l'occasion de faire mentir ceux qui pensent qu'elle a été parachutée à ce poste en raison de sa soumission dévotionnelle au chef de l'État ».

On trouve là tous les ingrédients d'une dictature rampante. Le crime des envahisseurs ? Ils se sont aventurés dans un sanctuaire appartenant à Aristide. C'est ce que disent les tee-shirts et les vociférations des nervis, en dépit de la présence d'observateurs étrangers.

À quelques exceptions près, il n'y a pas de prisonniers d'opinion en Haïti. Communication et réputation obligent : mieux vaut un récalcitrant exilé ou battu qu'emprisonné. Pour les associations comme pour les journalistes, la proclamation, comme la chronique, est libre. Le climat peut se gâter ensuite. Pas sous forme d'une arrestation, mais d'une punition. Venue de l'exécutif ou de n'importe quel groupe de pression. Pas besoin de justice, à peine de police. Il faut, pour chacun, gérer l'instant d'après. L'après-libre expression.

Mais ils tiennent, les journalistes. Constituent même un groupe compact, souvent jeune, élargi depuis 1986. Capables de se régénérer quand des membres sont atrophiés ou amputés. Rien à voir avec l'élite intellectuelle, dont la fronde dépasse rarement les écrits de jeunesse. Et qui reproduit, avec plus ou moins de constance, le modèle qu'elle est censée critiquer.

Son complexe de supériorité vis-à-vis des manants, son occidentalisation, même masquée par les mots parfois durs à l'encontre des pouvoirs, l'emportent toujours, *in fine*. Le comportement de l'intelligentsia, paresseuse ou timorée, dément souvent les proclamations. Sauf à mener à l'exil contraint.

En revanche, étudiants, jeunes professionnels et journalistes osent regarder, transmettre ou réfléchir les réalités, aider les acteurs du mouvement social. Le pouvoir, d'ailleurs, ne se trompe pas de cible. La parole relayée à l'infini le dérange plus que la bibliothèque qui l'accable.

Le 2 août 2002, un groupe armé, et nombreux, muni d'un bulldozer, attaque la prison de Gonaïves, la cité de l'indépendance, troisième ville du pays. L'« armée cannibale », c'est son nom de guerre, renverse un mur, occupe provisoirement l'établissement et libère cent cinquante-trois détenus. Parmi eux, des condamnés à perpétuité du procès Raboteau. Sauf à voler une brouette ou un sac de riz, ou les deux, on séjourne rarement *ad vitaem eternam* dans un établissement pénitentiaire. L'« armée cannibale » libère surtout son chef, Amiot Métayer.

Il purgeait une peine de prison pour divers trafics et exactions – pas pour le *dechoukaj* des locaux d'opposition, auquel il avait prêté main-forte. Amiot Métayer, farouche *lavalassien* et chef d'OP, en a trop fait, il est devenu incontrôlable. Pas besoin pour lui de fuir et de se cacher. Ni même de circuler. Juste établir un rapport de forces. Métayer s'installe dans son fief de Raboteau, protégé par le redoutable dispositif de sécurité de l'« armée cannibale ».

Et la police ? Elle réagit dès le 5... par une conférence de presse de son porte-parole : le calme règne dans la cité, dit-il, la police a la situation en main, elle a déjà arrêté cinq fugitifs (sur cent cinquante). Sur place, elle s'est renforcée. Mais se garde d'approcher la zone tenue par l'ennemi. Le Premier ministre annonce qu'« un plan est à l'étude... »

L'humiliation – ou le ridicule – ne touche pas seulement la police. Les « manifestants cannibales » réclament la démission d'Aristide, qui a trahi leur chef : l'ultimatum court jusqu'au 12 août ! On va donc négocier.

> La présidence a mis en garde la police nationale contre toute utilisation de la manière forte pour capturer Amiot Métayer, écrit Alterpresse. Une délégation conduite par un membre du cabinet du chef de l'État, José Ulysse, s'est d'ailleurs rendue expressément le 5 août à Gonaïves pour tenter de faire la paix avec le chef du groupe armé « activement recherché » par la police. Selon un des représentants de Métayer à ce mini-sommet, M. Ulysse leur aurait fait plusieurs propositions

> allèchantes en échange de leur allégeance. Le poste de délégué du département de l'Artibonite leur aurait même été promis.

Délégué signifie préfet.

Après avoir vigoureusement vitupéré Aristide et refusé les insolentes ou insuffisantes propositions du pouvoir, Métayer regrette le malentendu entre deux amis, Aristide et lui, et Gonaïves quitte subrepticement l'actualité.

C'est l'expert indépendant de l'ONU, de passage quelques mois plus tard, qui rouvre la cicatrice de l'impunité. On s'en voudrait de ne pas le citer *in extenso* :

> Le palais de justice de Gonaïves étant entièrement dévasté et les locaux en totalité inutilisables, les juges d'instruction demeurent à domicile. Le commissaire du gouvernement, quant à lui, a reçu l'expert indépendant comme tous les justiciables – dans la cour du tribunal meublée de quelques sièges sous un arbre, tandis qu'à quelques mètres à peine le « fugitif » Amiot Métayer mène une vie publique dans ce que des témoins ont désigné comme étant son « quartier général » après que l'expert indépendant se fut rendu sur place. Le fugitif soutiendrait qu'il ne s'est pas évadé, mais qu'il a été kidnappé. Or l'expert indépendant constate qu'il n'a pas porté plainte.
>
> Lors de la consultation du greffe de la prison – remarquablement tenu –, l'expert indépendant a en revanche constaté : 1) la mention de sa mise sous écrou ; 2) l'absence de toute mention à la rubrique relative aux décisions de mise en liberté ; 3) l'absence du nom de Métayer sur la liste des prisonniers présents. Il suffirait donc qu'un juge d'instruction saisisse ces documents pour établir le délit d'évasion et délivrer – comme le font dans ce cas tous les pays – un mandat d'arrêt...

Haïti n'est pas *tous les pays* !

Même si tous les juges ne sont pas des pleutres et tous les policiers des ripoux, la culture des droits de l'homme paraît revenir à la case départ : 1986, départ de Baby Doc. Et ce, malgré les formidables ruptures des années 1990 : élections libres, droits du citoyen, dissolution de l'armée, création d'une police, commission Justice et Vérité... Les avancées démocratiques, que la presse continue à défendre, paraissent fugitives, implantées sur un terreau aussi mince que celui des mornes d'Haïti.

Les Amiot Métayer paraissent triompher quand les Jean Dominique sont maintenus dans les oubliettes. Moins de procès ici que dans les pays d'Amérique latine, où, pourtant, les officiers et leurs nervis sont protégés par de solides lois d'amnistie ! Aucune entrave légale, dans un pays où le chef de l'État d'aujourd'hui fut le porte-parole incontesté des victimes, nombreuses, d'hier et d'avant-hier !

Les pressions de l'extérieur existent, mais ne contraignent pas. Faute de chantage plus brutal, qui confinerait à l'ingérence, l'État en revient à ses habitudes bicentenaires. L'élite n'en a jamais imaginé d'autres. Les révolutionnaires d'hier paraissent s'y conformer. L'histoire a-t-elle vocation à rattraper tous les réformateurs ? À étouffer le changement ? À ignorer les masses ? À inventer des coups d'État quand on en manque ? À remplacer les *attachés* par les OP ? À transformer la participation populaire en délinquance partisane ? À préférer les institutions « provisoires » ou « de facto » ? À oublier que le premier des droits, pour chaque Haïtien, est de pouvoir manger ? Et que le premier des crimes est de privilégier le théâtre d'ombres de la politique haïtienne aux dépens de ventres affamés qui peinent à exprimer leur douleur ?

> Sous d'autres cieux, écrivait Aristide en exil, on s'essaie à faire coïncider objectifs de développement du pays et carrière personnelle. La classe politique haïtienne, pourtant experte en cumul d'avantages divers, n'a jamais pratiqué ce type de coïncidence. Ceux qui résistent n'en ont que plus de mérite : l'altérité n'est jamais récompensée, le pillage et la subornation jamais condamnés [...] Doit prendre le relais une génération issue de la conscience populaire, débarrassée de ce dévergondage sémantique et de ses corollaires : affairisme, favoritisme, népotisme[2].

C'était dix ans avant le bicentenaire.

La génération nouvelle annoncée n'est que l'ancienne vieillie et éclaircie, devenue experte en affairisme, favoritisme, népotisme... Des *Lavalassiens* qui gouvernent, renforcés par nombre d'opportunistes et de courtisans, sont aujourd'hui auteurs ou complices de pratiques qu'ils dénonçaient dix ans plus tôt. Venus d'une dictature autrement brutale qu'ils condamnaient et dont ils étaient les premières victimes.

2. *Dignité*, Paris, Seuil, 1994.

Les voilà qui, pour plus de sûreté, recrutent leurs anciens tortionnaires, les *attachés*, de sinistre mémoire jusqu'en 1994. Selon la Coalition nationale des droits de l'homme, qui publie des photos éloquentes, on retrouve en 2003 ces civils armés, chargés des basses besognes, aussi bien dans les ministères, les mairies qu'auprès d'OP ou de la police[3].

Phénomène dramatiquement récurrent dans le pays : les victimes se font bourreaux à leur tour. En appellent aux tortionnaires. Méprisent et violent les droits de l'homme. À un niveau moindre aujourd'hui. Mais la pente est la même, indigne et perverse, celle de la confusion entre pouvoir et abus de pouvoir. Ainsi se définit le macoutisme, ce sentiment ancré dans les têtes, ce comportement qui finit par être perçu comme normal : l'arbitraire et la brutalité prévalent, la victime consentante est hypnotisée par le bourreau. Papa Doc portait l'inversion des valeurs à son maximum d'efficacité, rationalisant une tradition issue des origines.

Jusqu'à quel point la violence est-elle calculée, à défaut d'être planifiée ? Les assauts de commissariats, de centrale hydroélectrique, de permanences politiques, de prisons ou d'assemblées paysannes ou étudiantes, les meurtres de syndicalistes, d'élus, pas tous opposants, de journalistes, ne participent pas d'une volonté unique.

Mais l'impunité n'est ni un hasard ni une négligence. Elle est plus qu'un outil, elle est la boîte à outils, le cœur du système. Pas un système totalitaire : il n'en a pas les moyens. Mais plus qu'un usage : un schéma qui, liant l'impunité à la peur, permet au système de durer. La revendication de liberté d'expression se pratique exclusivement dans l'opposition. L'arbitraire est inhérent au pouvoir. La valse des concepts, avec certains partis aujourd'hui marginaux, ne traînerait pas s'ils franchissaient le seuil du pouvoir. Tous, ou presque, ramènent à 1804 et à l'inconstitution de la nation et de son histoire. Le droit des gens fut-il jamais un objectif ?

Aucun des dictateurs n'a été puni. Baby Doc vit au « pays des droits de l'homme ». Ses successeurs vont et viennent en Haïti. Cédras coule des nuits sans insomnies à Panama. Son Premier ministre *de facto*, Marc Bazin, est devenu ministre d'Aristide en 2001. Il n'est pas le seul. À user beaucoup de ministres de la Justice, le président a fini par nommer à ce poste Calixte Delatour, un des cerveaux du coup d'État de 1991, synonyme d'hécatombe

3. Voir notamment Alterpresse, 22 août 2003.

pour les militants *lavalassiens*. Les tortionnaires sont aux commandes, chargés de sanctionner leurs propres turpitudes. Chargés ou déchargés ? Gare aux victimes ! Le dernier anneau de la chaîne de la servitude est-il scellé ?

Impunité, j'écris ton nom...

CHAPITRE 14. LE POLITIQUE N'EST PAS FONDÉ

> Construction d'un État de droit, bonne gouvernance, respect des droits de la personne, partenariat entre secteur public, lutte contre le sida, la détérioration écologique, la corruption, le trafic de drogue et l'impunité ouvrent la voie à un monde socialement juste et économiquement libre.

En 2002, à Johannesburg, le Sommet de la Terre rassemble le monde. Le temps de parole est nécessairement limité. Tout le programme d'Aristide s'y concentre donc en quelques lignes. Tout l'abîme entre discours et réalité. Toute la confusion dans laquelle les incantations tiennent lieu de réformes. De quel État s'agit-il ? De quelles luttes ? De quelle « bonne gouvernance », pour reprendre cette expression que les grandes institutions financières substituent à « démocratie » ?

En 2002, en Haïti, la cause est entendue. La politique, réduite au dilatoire, a perdu tout contenu. Est redevenue liturgie, apparence, mélange de bavardage et d'omerta.

L'exercice, tour à tour grotesque et féroce, prend les allures du suicide collectif d'une espérance. La distance est de plus en plus grande entre celui qui gouverne et ses supporters désabusés. Aristide a abandonné toute croyance en des transformations possibles, en des lendemains qui chanteraient.

L'ambition pour son peuple s'est muée en ambition de garder le pouvoir pour lui, de s'arc-bouter sur le trône tellement décrié, décrépi et éjectable de ses prédécesseurs. Même les mots, une denrée qui résiste à toutes les pénuries, se font ambigus. Les allusions noiristes ou xénophobes s'insinuent. Convainquent-elles encore ? « Paix » revient sans cesse, cœur de toutes les harangues redevenues sermons. Quelle paix ? Le désordre est souvent entretenu, pour mieux justifier le besoin d'ordre liberticide. La loi et l'ordre, disait-on ailleurs. La paix du président est de la même eau.

L'organisation du pouvoir et la mobilisation populaire n'ont jamais coïncidé. Pas plus que les différentes forces sociales n'ont su ou voulu organiser leur relation avec l'État. Tout contre-pouvoir est perçu comme ennemi par un pouvoir qui ne rêve que de verticalité. Sur l'agora, il n'y a de place que pour le parti dominant, qui ne supporte pas d'y partager l'espace politique.

Le prophétisme pouvait y suppléer un temps, encadré par une génération de militants solides venus d'horizons divers. Leur disparition, par abandon ou par assassinat, fut dramatique. Les pères Jean-Marie Vincent ou Antoine Adrien manquent. D'autres aussi, laïques, techniciens, révolutionnaires ou réformistes frottés parfois, dans leurs pays d'adoption, aux pratiques participatives ou démocratiques. On ne les citera pas, tant la liste est longue. Colère ou déception, avec éclat ou en silence, ils ont *laissé*. Partis de leur plein gré ou tombés en disgrâce.

Le système en effet évolue vers la cour : souverain substitué au peuple souverain, sujets et courtisans. Prébendes, sinécures, avancement pour les flatteurs les plus habiles, disgrâce pour les laudateurs maladroits.

Les éléments critiques ont disparu. Les porte-parole osent à peine transmettre. Gare à l'improvisation ! Rien de nouveau sous le soleil d'Haïti : l'irruption de *Lavalas* est à regarder comme une éclipse. Éclipse de l'aliénation. Nous voilà revenus au *statu quo ante*. Plus de garde-fou au modèle archétypal du père de la nation, si commode en Haïti ! Les modes de participation populaire, esquissés en 1991, n'ont pas dépassé le stade de l'expérimentation, dans leur relation à l'exécutif. L'entourage, dès l'exil de Washington, était parfois plus écran que catalyseur.

On l'entend souvent, cette excuse en forme de conclusion : « Haïti, c'est différent. » La singularité est indiscutable. On l'a assez montré. Mais pareille assertion justifie les pires perversions politiques, le changement et son contraire, la recherche d'une voie originale et le *statu quo*. Spécificité féconde ou alibi pratique ? Le Brésil, avec ses paysans sans terre, ses théologiens de la libération et son puissant mouvement populaire, avec sa ploutocratie et ses *favelas*, est différent. En Amérique centrale ou au Mexique, les peuples indigènes, ce que les Haïtiens sont devenus, combattent les élites liées à l'État ou aux circuits financiers internationaux. D'autres, ailleurs, affrontent des défis pas vraiment différents.

L'enfermement, imposé d'abord de l'extérieur, est-il aujourd'hui inéluctable ? On sait bien que non. À quand *louverture* sur le XXIe siècle ?

Louverture collective, de préférence. Si Haïti est différente, ce qui va de soi – le seul peuple d'esclaves victorieux des maîtres, mais producteur de nouveaux maîtres –, il lui faudra se défaire de cette originalité-là : la fascination pour le messie, incompatible avec toute forme de démocratie. Les descendants des révolutionnaires de 1791 ont aujourd'hui honte de leur histoire. Une histoire confisquée, qu'ils s'étaient réappropriée à la fin du XXe siècle. Redevenue opprobre au début du XXIe.

Ce passé sanctifié ou falsifié repose sur un non-dit et engendre une lacune. Terrible. Le pays avait jusqu'en 1804 un objectif fédérateur : l'indépendance, gage de la suppression d'un système abominable. Et après l'abolition de l'esclavage, qu'as-tu fait, Haïti, de cette indépendance ? Quels sont tes objectifs, les valeurs communes qui fondent l'État républicain ? La liberté, l'égalité, la solidarité, la sécurité ? Pour qui ? Comment ? La réponse ne crève pas les yeux. À part celle des constitutionnalistes, de réponse, il n'y en a pas.

Le sens du bien collectif existe à peine. L'intérêt général a été discrédité par les gouvernants. Des notions en honneur dans l'Haïti rurale, mais combattues au nom d'un individualisme imposé par les nantis ! Haïti ne rassemble pas les citoyens autour d'un minimum de valeurs partagées. Pas plus que les castes ne se résolvent à signer un pacte social. Pas le plus petit dénominateur commun. L'irresponsabilité de l'État nourrit celle des citoyens.

Le chantier de la re-création a paru s'ouvrir dans les années 1980. Allait-on liquider l'héritage ? En dresser l'inventaire ? Haïti allait-elle exister ? Le citoyen enfin émerger de son état de sujétion ? De cette néo-servitude engendrée, justement, par la première indépendance ?

Aristide était l'homme de la situation. Dans un environnement difficile, il n'était que cela. Il était tout cela. À la confluence du rejet d'une dictature archaïque, d'un besoin de justice et d'une mobilisation qui ne demandait qu'à s'employer. Il avait l'histoire pour lui, et le peuple haïtien en prime. Il s'est décidé, avant même la traversée du désert, à faire de la politique son métier. Pourquoi pas ? La gestion de l'État peut être, en démocratie, une occupation respectable.

Aristide 2004 est devenu un politicien haïtien ordinaire. Gouvernant au jour le jour, arbitrant entre les factions, les amies ou les ennemies. Tentant de durer. De survivre. Comme ce peuple qui n'est plus son peuple. Libéré de l'insécurité alimentaire, le chef de l'exécutif consacre toute son énergie à la cuisine. *Lamagouye*, dit-on ici. L'intendance politicienne et le moral des courtisans requièrent au jour le jour une énergie qui n'est plus employée ailleurs.

Plus que la dérive d'un homme, c'est l'incapacité d'un mouvement à donner à la démocratie des formes ou des cadres, à l'État une autre fonction, qui signe l'échec. Aristide a détruit les alliances qui permirent l'accès au pouvoir. La bourgeoisie éclairée, une partie des élites ralliées sont retournées à leur égoïsme ou à leur attentisme. Vite remplacées par l'aile la plus cupide.

L'État stratège a balbutié. L'État protecteur social demandait plus de temps encore. Il ne se hisse même pas au niveau du « social-caritatif ». Mais qui en voulait vraiment, de cet État en construction ? Ni les donneurs de leçons étrangers, tout à son dépérissement au profit du marché. Ni les élus du mouvement populaire, absorbés ou pervertis, parfois à leur insu, par les automatismes mentaux qui perdurent. Après 1997, le populisme, qui n'a rien à donner, devient clanisme pur et simple. Et la communauté internationale en dénonce à juste titre les excès, quand elle en a encouragé les causes. Les États-Unis ont poussé le cynisme et la duplicité bien au-delà.

On ne passera pas en revue tous les compartiments de l'État. Le catalogue de Johannesburg, déclaration lancinante d'intentions, ajoute à l'évidence : aucune des fonctions modernes de l'État n'existe. Qu'il y ait des ministères et des fonctionnaires ne garantit rien. Obsolète depuis les dictatures post-duvaliéristes, l'État se réduit à une fonction répressive dans laquelle il est à peine performant. La démilitarisation, acquis de 1995, a laissé un vide. La police ne l'a pas comblé, qui abandonne le pavé à des bandes paramilitaires incontrôlables. L'utilisation du *Lumpenproletariat*, catégorie abondante ici, n'est pas une spécificité locale.

Les OP, les organisations populaires des années 1980, ont dégénéré.

> Aristide aurait perdu le contrôle des bandes dont il s'est servi pour construire son pouvoir. C'est le principal danger pour lui. Ce qu'il redoutait de l'armée peut advenir de ces bandes incontrôlées. Et personne ne peut dire de quelle manière. Pourrissement ? Manipulation ? Coups de main ? Débandade et inefficacité des forces de sécurité légales ? Les OP sont le talon d'Achille de *Lavalas*[1].

Le nouveau suzerain est loin de disposer de l'appareil de répression duvaliériste. Certains vassaux, dans leur fief, deviennent inexpugnables. Professionnels de l'insécurité, les gangs travaillent pour qui les paie. Dérapent. Peuvent changer de camp. Devenir adversaires imprévisibles et témoins encombrants. Violeurs d'ormeta. Ne reste plus qu'à leur appliquer la loi du milieu. Saura-t-on jamais qui a commandité l'assassinat d'Amiot Métayer, en septembre 2003, ou celui de « Colibri », son homologue de Cité-Soleil, un mois plus tard ?

Mettre en place des services aurait créé un lien nouveau entre le citoyen et l'élu. D'expériences mal assurées, on en est vite revenu aux liens personnels. Comme aux temps féodaux. La relation l'emporte sur la réalisation. Le dilatoire suppose une dilatation de toutes les formes de communication souterraine, au détriment de toute avancée de la société et de l'économie. Le marronnage des victimes n'est-il pas l'art de s'insinuer dans la porosité de frontières obscures ?

La politique signifie le refus de l'autre. L'autre n'existe pas. Pas de conflit reconnu, mis sur la table, donc pas de dialogue possible, moins encore de compromis. Une seule solution pour le vaincu : se rallier, capituler sans conditions, rejoindre l'indispensable unanimité nationale. Si l'on triche un peu aux élections de 2000, c'est aussi pour gagner du temps, éliminer d'emblée ceux qui ont vocation à l'être. Et qui s'y résignent souvent, tant on a intégré que la victime a tort. « Mort aux vaincus », disait-on dans l'Empire romain.

Leur reste ici le marronnage. Devant un ennemi trop puissant, on choisit, pour préserver coûte que coûte sa liberté, la fuite ou l'errance, aux

1. Claude Moïse, *La croix et la bannière*, CIDHICA, Montréal, 2002.

marges de la société organisée. D'où cette habitude de l'esquive plus que de la guérilla, qui encourage chacun à ruser, biaiser, finasser, donner l'illusion, ne pas afficher la couleur. Une pratique qui préserve de l'ennemi de l'intérieur ou d'ailleurs, qui évite des choix impossibles. Qui nécessite des havres et des retraites. Qui s'insinue à côté de relations sociales très hiérarchisées. L'allégeance, le rapport personnel ou familial, la dépendance et la cascade de mépris qu'elle implique priment sur tout autre réflexe. Une tradition héritée de la société coloniale ? Ou l'un des avatars d'une structure coloniale féroce toujours en place, capable de concessions dans les formes et les apparences pour mieux se perpétuer ?

Sectarisme, hégémonisme, manichéisme : la nuance, la diversité des opinions, l'altérité, la tolérance, bref la liberté, sont extérieures à la société haïtienne. Ou à ceux qui la dominent. Qui n'est pas avec moi est contre moi. Vous êtes ami ou ennemi. Entre les deux n'existe ni place ni statut. Communion ou excommunication, il faut choisir.

Les complots réels n'ont pas manqué, dans l'histoire de l'ancienne colonie. Sous Duvalier, tout démocrate était désigné comme communiste, ce qui l'excluait de la communauté nationale. L'adversaire d'aujourd'hui n'est pas considéré comme un homme qui pense autrement, mais comme comploteur. Il ne mérite que l'exclusion ou l'élimination. Conflit signifie toujours conjuration. Le complot, omniprésent, écarte d'emblée tout droit à la différence et exclut toute démarche politique moderne. Va de pair avec la diabolisation de l'adversaire. Hors-la-loi, hors-la-nation, même si les deux notions frisent en Haïti la fiction.

Pour un poste à pourvoir, jamais un candidat ne sera choisi pour ses qualités. Il sera féal ou incompétent, ou les deux à la fois. Ne se mêlera jamais à l'élaboration d'un projet d'ampleur nationale. Mis à part l'échec du grand dessein post-duvaliériste, les divers ajustements au projet de Toussaint-Louverture n'eurent de cesse d'écarter les masses populaires au profit d'une élite connectée à l'extérieur. Elle est toujours là, se prétendant le pays, refoulant l'arrière-pays, ce pays des arriérés, des « en dehors », aujourd'hui stationnés bien en deçà des portes de la ville.

La politique se nourrit de vanité. Comme ailleurs. Mais elle n'a pas éradiqué l'esprit colonial ni réduit les fractures de l'indépendance. Elle s'en sert et en abuse. Outre le marronnage, elle privilégie la violence comme solution des conflits, la méfiance, le mépris, l'intolérance et le sectarisme dans les relations de pouvoir. Quand il s'agit enfin de gérer les affaires de la cité, le temps manque. Et la corruption le dispute à l'improvisation.

L'opposition n'inspire pas plus confiance. Vingt-quatre, vingt-huit ou trente-deux partis politiques : on sait bien qu'il s'agit de réseaux, infiniment petits, qui auraient voulu mais n'ont pas su organiser des clans performants. Manque de charisme du chef ou marketing inadapté à la cible : les partis sont ici des petites familles ou des machines dérisoires, sans moteur ou sans énergie. Même rassemblés, les confettis ne font qu'une tache éphémère. Et une tache ne fait pas un programme. Qui d'ailleurs parle de programme ?

Les partis seraient bien incapables d'organiser la contestation. Ils manquent de racines. Et de ramures. En auraient-ils quelques-unes que le pouvoir les a à l'œil. La plupart des révoltes populaires jaillissent en Haïti sans crier gare. À la différence des complots, réels ou imaginaires, la manifestation du ras-le-bol est inattendue. Les mêmes causes ne produisent pas les mêmes effets. Le peuple, qui paraît écrasé sous le joug, peut se redresser brutalement. *Kenbe fèm*. Se tenir debout. Un incident chargé de symbole, les *zen* qui courent, un petit groupe déterminé qui n'a rien à perdre ou qui convainc les gueux, et c'est le branle-bas. La colère.

Le peuple a gardé dans l'adversité cette intuition, cette capacité à tirer parti d'un événement, à s'enflammer, ce sens du moment propice qui permet parfois de tordre la stratégie. Ou seulement de secouer le carcan d'une misère encore alourdie.

Le pouvoir peut aussi y aider, quand il accumule les bourdes. *Lavalas* paraît, à l'automne 2002, osciller entre implosion, effondrement et raidissement. Scandales financiers, blocage institutionnel, grève des étudiants, violences contre les premières manifestations : « Aristide est pris entre plus que deux feux », titre avec humour l'hebdomadaire *Haïti en marche*. La réaction se décentralise, s'autonomise : trente mille personnes à Cap-Haïtien, au nom d'une Initiative citoyenne, inconnue jusqu'alors, demandent la démission d'Aristide. Les étudiants, qui réclament le retour à l'autonomie universitaire confisquée, sont plus de cinq mille. Le pouvoir peine à rassembler quelques centaines de contre-manifestants. Les lycéens occupent à leur tour la rue. La police tire. Le mouvement, qui s'étend, rappelle d'autres fins de règne.

Le pouvoir rassemble à son tour ses partisans. Même avec l'aide de la police, des bataillons de fonctionnaires et d'élus et la transformation des voitures de fonction en transports en commun, il peine à afficher ses soutiens. Les bidonvilles ne répondent guère. Ou alors, il faut distribuer *ti-kob*, quelques gourdes. *Lavalas* tente des opérations « villes mortes » pour intimider ses adversaires. Sous l'œil neutre ou bienveillant de la police, les *chimè*, les bandes armées, frappent à tour de bras. Les fauves sont lâchés en décembre 2002. À Gonaïves, l'« armée cannibale », de retour en grâce, disperse lycéens et journalistes. En vain. Le rideau de la peur paraît déchiré. *Aristid tonbe. Se kwole li kwole.* Le fruit mûr s'est détaché de la branche, il va tomber.

Il ne tombera pas cette fois. L'opposition se requinque, mais gagne à peine en crédibilité. La société civile, rassemblement d'organisations aussi unies qu'un maître et son esclave, réclame une issue politique rapide. Elles sont cent quatre-vingt-quatre, elles ont cent quatre-vingt-quatre projets. Le pouvoir regrette les « malentendus ». Il a cédé aux étudiants, mais laisse les contradictions pourrir les alliances hétéroclites. Une certitude : la société entière n'attend plus rien de *Lavalas*, mais n'entend pas se laisser manipuler par d'autres. La fièvre retombe. On a frôlé l'effondrement.

Les forces du mouvement ont marqué un point : une certaine autonomie par rapport au politique, qu'il s'agisse du pouvoir ou de l'opposition. Mais mouvement social ou forces libératrices ne se confondent pas avec la notion attrape-tout de société civile. Ladite société civile, invention sémantique qui gommerait les antagonismes de classe, ne peut former contrepoids au pouvoir. À peine réduire les fractures. Entre associations humanistes, Églises, patronat, coopératives ou taxis, les intérêts sont pour le moins distincts. Des formes de récupération sont aussitôt en marche. La protestation ne rebondit pas, malgré la crise financière, qui aurait pu déclencher des émeutes de la faim. Ceux qui le peuvent achètent des dollars. L'ordre règne à Port-au-Prince. Précaire. La peur n'est plus tout à fait ce qu'elle était.

La lutte contre les factions incontrôlées de l'appareil d'État fait peur. Mais souligne la fragilité du pouvoir. Des semaines durant, il tente, au son du canon et de la mitraille, de reprendre Gonaïves à l'armée cannibale. De Saint-Marc au Cap haïtien, des femmes aux étudiants, des associations humanistes aux usagers de la route ou de l'électricité, le mouvement renaît ici et là. L'opération « étau », l'interdiction par les OP de toute manifestation à partir de novembre 2003, ne tarit ni les vocations ni la vigueur des mots d'ordre.

Les groupes les plus radicaux, les proches de l'altermondialisation, ou ceux qui appellent à un authentique programme, sont parfois restés à l'écart de la « société civile ». Un mouvement social autonome inquiète le pouvoir. Quand y participent d'anciens supporters sans ambition électorale, la diabolisation s'avère plus difficile à pratiquer. Mais pas impossible. À défaut, toutes les formes d'intimidation restent à disposition. Comme le montrent les « mutations » et les « promotions » dans la police, le saccage de radios, la répression des protestations ou le « ménage » dans la justice. Même si, comme le dit la devise nationale, l'union fait la force.

La force pour *dechouker*. Rarement pour questionner ou concevoir. La fraîcheur du mouvement de 2002-2003 paraît faire sortir l'Haïti mentale de sa coquille. C'est au moment où elle revendique qu'elle observe le mieux le monde alentour. Quand s'expriment les exigences de citoyenneté, Haïti mesure le déficit accumulé. En se regardant dans le miroir du monde.

La démocratie est à construire, pas à reconstruire. Pas plus en Haïti qu'ailleurs il n'y a eu d'âge d'or. Le maintien du système des castes et l'emprise du religieux rendent, au contraire, la décontamination plus malaisée.

Deux siècles d'histoire ont accumulé les obstacles. Le bon citoyen est un docile gouverné qui se méfie de l'État et ne compte que sur lui pour sa survie. Le carnaval offre au sujet trois jours d'exception. Les autres émotions sont à risques et périls.

Lyonel Trouillot le rappelle, dans *Haïti, repenser la citoyenneté*[2] :

> Il n'y a pas de citoyenneté sans droit de regard sur la gestion de la chose publique et sans participation directe ou indirecte à cette gestion. La précarité des conditions d'existence est telle en Haïti que, d'un côté, l'État se met au service du gouvernement et se déresponsabilise par rapport à l'ensemble de la société, et, de l'autre côté, la société a peur d'exercer son droit de contrôle, non seulement à cause de la promesse de répression, mais surtout parce que ceux qui disposent de moyens suffisants pour assumer cette fonction critique évitent de trop forcer dans ce domaine. Après tout, peut-être que l'un d'eux sera demain

2. Aux éditions Haïti Solidarité internationale, 2003.

> Premier ministre, ministre ou chef de cabinet. L'État peut donc, avec un minimum de tranquillité, être l'État des fonctionnaires, des « chefs », puisque le concept de responsabilité de l'État et du citoyen est rejeté par les uns et par les autres.

Autrement dit, classes moyennes, élites et intelligentsia ont fait, fin 2002, le maximum de ce que leurs intérêts et leurs préjugés permettaient. Pour une partie d'entre elles, avec courage. Comme dans les années de l'après-Duvalier. Un nouveau pouvoir venu de l'opposition, quel qu'il soit, leur fera de toute façon une large place. Et assurera la reproduction du système. Quel intérêt le nouveau ministre aurait-il à la rupture ? Il sait la pression éventuelle des masses brouillonne et épisodique. Sans relais dans les cercles influents.

1991 fut à, cet égard, l'exception que 1994 peina, hésita puis renonça à poursuivre. Modifier les rapports de domination, culturels ou économiques, condition nécessaire à tout exercice de la citoyenneté ? Ce discours est acceptable ou bienvenu dans un essai ou une conférence. À peine téméraire dans une conversation privée. On ne vous le reprochera pas. Mais dans la réalité ? Personne n'y trouverait vraiment son compte... parmi ceux qui comptent vraiment.

Changer l'État a toujours conduit à renforcer son caractère autoritaire. Les politiques, porte-parole et employeurs de ces minorités, où les talents professionnels et les velléités réformatrices ne manquent pas, sont naturellement conduits à éliminer ou à marginaliser le peuple. Quitte, quand ils veulent payer leurs dettes ou apaiser la colère des masses, à servir un discours populiste nourri de quelques aumônes médiatisées. Ou à offrir en pâture au peuple quelques boucs émissaires. Quelques prétendus comploteurs...

Reste au pouvoir un autre allié de poids, celui justement qu'il avait combattu le plus vigoureusement : la religion, celle du sabre et du colon. *Lavalas*, enfant des *ti-legliz* et des OP innocentes des années 1980, dénonçait l'inertie et le fatalisme et combattait la résignation. L'aggravation de la misère, l'extrême promiscuité, l'insécurité dans tous les domaines, bref ce qu'André Corten[3] qualifie d'état de désolation, engendrent aujourd'hui un

3. André Corten, *Misère, politique et religion en Haïti*, Paris, Karthala, 2001. L'ouvrage propose par ailleurs une excellente bibliographie contemporaine.

renoncement à lutter. Qui va croissant. 2002 a-t-il remis des Haïtiens dans la protestation ? L'avenir le dira.

La renonciation à toute action sociale, et *a fortiori* politique, n'a cessé de regagner le terrain perdu. Les bataillons de déçus-démunis, sans perspective aucune, ne peuvent que croître quand la réalité est pire chaque jour, quand les prospectivistes annoncent l'apocalypse, quand l'ONU compare Haïti à un pays sortant d'une guerre de dix ans. La seule issue est religieuse, dans un pays tellement imprégné de foi ou de religiosité.

Le vaudou permit de souder une communauté écrasée et écartelée. Le catholicisme a été la religion des anciens, puis des nouveaux maîtres. Jusqu'à Papa Doc, il menait croisade contre la « superstition » animiste. La population ne choisit pas clairement entre les deux cultes qui s'imbriquent. Chez n'importe quel Haïtien, une religion peut en cacher une autre. Il y a, bien sûr, des *hougan* ou des *mambo* dans les temples et des prêtres dans les églises, mais les *lwa* se dissimulent à l'intérieur même du christianisme, qui s'est, ici comme ailleurs, indigénisé.

La misère encourage les Églises et les sectes protestantes à évangéliser une terre prometteuse. Un tiers des Haïtiens aurait souscrit aux propositions alléchantes des nouveaux missionnaires. Ils entretiennent le millénarisme, et le consolent tout à la fois.

Anges et diables font un malheur. Au marché de la consolation, la littérature initie parfois mieux que les sciences humaines. Les ouvrages de Roland Paret et de Gary Victor[4] explorent la cour des miracles d'un monde à l'envers. Pas plus que les mythologies catholiques ou vaudoues, le marché de la religion, en pleine mutation, ne manque d'imposteurs, de victimes, de bonimenteurs, de charlatans, de corrupteurs, de tyranneaux et de tyrans.

À tous égards, le terrain est, il est vrai, fertile. L'État n'apporte pas plus de propositions humanistes que de solutions matérielles. L'irrationnel imbibe, de toute éternité, la vie quotidienne. Le naufrage incite la victime à s'agripper à la première perche. Le macoutisme ou ses variantes, qui perdurent, l'état de misère absolue, qui englobe autant la sensation de faim que le sentiment d'impasse, engendrent un comportement suicidaire. Mais on ne se suicide pas, en Haïti. On cherche refuge dans un compartiment qu'on

4. Roland Paret, *Le Tribunal des grands vents*, Montréal, CIDHICA, 2001 ; Gary Victor, *La Piste des sortilèges*, Fort-de-France, Vents d'ailleurs, 2002.

connaît bien : le religieux. Et le religieux occupe toute la sphère mentale. Induit toutes les démarches politiques ou sociales. Devient un tout globalisant. Fournit un havre ou une explication à des êtres coupés de tout. En 2002, on appelle à prier tous ensemble pour « sauver Haïti ». Message ou messie, le salut viendra de l'extérieur. On est possédé, on ne se possède pas.

Haïti compte quatre cent vingt et une Églises protestantes enregistrées : le chiffre, inférieur à la réalité, est celui du ministère des Cultes. Des dizaines de milliers d'Haïtiens attendent chaque jour le miracle, dans dix mille bâtiments et dans des lieux de plein air. Confier ses problèmes à Jésus, avoir la foi et attendre les réponses : à défaut de trouver une solution, les fidèles ont le sentiment d'appartenir à une communauté. Qui d'autre offre ce minimum de réconfort ?

Avec le pentecôtisme, ou le renouveau charismatique chez les catholiques, triomphent les théologies de la résignation. Le sentiment d'abandon nourrit toutes les irrationalités. Il renforce la mythologie vaudoue, mais plus encore les propositions monothéistes nouvelles. Ou remises au goût du jour. Le marketing et la concurrence s'y déchaînent, importés des États-Unis. Les ONG-Églises, installées dans les quartiers les plus inhospitaliers, pullulent. Leurs flibustiers stimulent les meilleures recrues, par des avantages divers. Elles offrent, avec la compassion, un peu de riz, parfois de l'école et des soins. Et même, suprême chance, quelques *djobs*.

L'État se soucie peu que le riz soit importé ou l'enseignement faible ou incontrôlé. Il affiche en revanche son intérêt pour la religion, et cherche à en contrôler les deux grands courants. Il sous-estime les ravages du pentecôtisme, sur lequel il a peu de prises.

Les Duvalier encourageaient les prêtres vaudous et nommaient les évêques. La fracture à l'intérieur de l'Église catholique, hiérarchie contre *ti-legliz*, accroît les tensions et accélère la chute du tyran. Dès lors, la renaissance d'Haïti émerge de la théologie de la libération. Un prêtre devient président. Il n'aura de cesse de recevoir les responsables de toutes les religions, surtout après 2000. Et de se réconcilier avec les représentants du Vatican, qui l'avaient dénoncé, humilié, puni et chassé. Le nonce bénissait les baïonnettes quand, *Titid* en exil, la soldatesque violait les jeunes femmes des quartiers *lavalassiens*.

La sphère politique, en Haïti, ne se sépare jamais de la religieuse. La seconde englobe la première. Elle est omniprésente, voire omnisciente. Elle n'est pas vecteur de citoyenneté, mais d'obscurantisme. Le moins que l'on puisse dire est que son fonctionnement ne fournit pas un modèle de démocratie. Elle ne le prétend d'ailleurs pas, même si elle est prodigue en conseils.

On ne gouverne pas sans Dieu. Encore moins contre. En Haïti, la ou les religions ne sont pas du tout affaires privées ! En les choyant, le pouvoir politique compte renforcer un allié. L'obscurantisme de l'un justifie l'intolérance de l'autre. Et réciproquement. *Apre bondye se leta*. Après Dieu vient l'État : la vieille formule garantit un avenir conforme au passé. Sans place pour le citoyen. L'attelage arrange tout le monde. Surtout le monde qui compte.

Les comportements politiques, arbitraires ou dévoyés, ne laissent guère de choix aux victimes, isolées face aux reîtres : le lien social, le seul qui puisse offrir une issue, se fonde, pour le grand nombre, sur le religieux. La faute et le péché expliquent ou justifient toutes les calamités, la foi est seule salvatrice.

On ne peut s'empêcher d'y penser : Dieu a sûrement oublié Haïti. Mais les Haïtiens n'ont pas encore oublié Dieu. Ou les dieux. Si beaucoup oscillent entre foi et religiosité, entre humanité et superstition, ils n'ont pas toujours le choix. L'envie de transfert sur un autre terrain se manifeste toujours. Si mal scolarisée soit-elle, la jeunesse manifeste, en Haïti, d'autres expressions, issues d'autres repères.

Lénine n'est plus à la mode. Il prétendait, en 1920, pour justifier une politique provisoire, que le capitalisme était un bien par rapport au Moyen Âge dans lequel s'attardait la Russie. La mondialisation libérale, qui touche aussi Haïti, n'est pas qu'économique. Dans sa dimension culturelle, avec tous ses travers, serait-elle un pis-aller, aussi provisoire que possible, en comparaison de l'archaïsme que les maîtres d'Haïti souhaitent pour leur peuple ? L'occasion de séculariser le religieux pour fonder le politique ?

Aux acteurs ensuite de lui donner son autonomie. De s'atteler à l'organisation de l'espace public. De définir les contenus. Une tâche prométhéenne. Ici comme ailleurs.

CHAPITRE 15. *SE BLAN KI DESIDE*

Refonder le politique. Des Haïtiens sûrement y songeaient au lendemain de la chute de Baby Doc, en 1986. La guerre froide contraria longtemps pareil objectif. L'exprimant autrement, le peuple haïtien s'inscrivait dans le projet en votant massivement pour *Titid*, le 16 décembre 1990. La chute du mur de Berlin annonçait un environnement politique plus favorable aux mouvements d'émancipation. Finie la chasse au révolutionnaire, opportunément baptisé communiste ?

Une impression prévalait, peut-être aussi naïve que la peinture locale : la communauté internationale prenait Haïti enfin libérée sous son aile protectrice. Garantissait les élections et soutenait un pouvoir on ne peut plus légitime. Certains États s'impliquaient, sans trop d'arrière-pensées. Les coopérations canadienne et française prenaient leur essor. Avec détermination. Et prudence. Puisque tout presse, dans ce pays...

Le *blan ki deside* paraissait laisser Haïti maîtresse de son destin. Paraissait... Au-delà de rapports de forces si défavorables à l'ancienne « Perle des Antilles », on pouvait croire à un projet de sauvetage et à un début d'autonomie. La garantie de l'ONU valait sûrement mieux que les sempiternelles manœuvres de l'oncle Sam dans son arrière-cour. Mais que pèsent l'institution internationale, et quelques-uns de ses membres plus engagés face à la toute-puissance américaine ?

Or Washington ne change pas. Il veut à Port-au-Prince un régime à sa botte. Le « nouvel engagement pour la démocratie » proclamé par Bush senior fait, en un an, la preuve de son étrange efficacité.

Simplifions : il y deux façons, complémentaires, de regarder l'histoire d'Haïti. Celle d'une guerre de basse intensité entre les privilégiés et les masses, d'abord frustrées de terres, puis de pain et de travail. Ou celle d'une permanence de l'intervention étrangère, connectée aux élites îliennes. Embargos, canonnières, interventions, déstabilisation, protectorat, groupes achetés, militaires ou non, infiltration des cercles du pouvoir, propagande, chantage aux crédits : l'impérialisme peut tour à tour manier la suggestion, l'injonction ou l'agression. Au XXe siècle, il est essentiellement américain. Les relais locaux ne lui ont jamais fait défaut, malgré de brèves résistances.

L'irruption des prolétaires des campagnes et des villes dans le champ politique fait basculer l'équilibre habituel. Dans la guerre interne, le rôle de perdant, qui est toujours dévolu aux mêmes, changerait-il de titulaires ? *Rebat kat la* ? Pas question de rebattre les cartes. Il faut maintenir chacun à sa place. La sainte alliance des oligarques et de l'étranger doit être préservée. Quitte à élargir le cercle des privilégiés et à ravaler la façade institutionnelle en piteux état. Tout au plus songe-t-on à démocratiser l'élite, à abaisser le cens qui permet d'y accéder et à moderniser l'État. C'était déjà l'objectif de l'invasion américaine de 1915. À défaut de démocratie, les apparences de l'État de droit et la « bonne gouvernance » ! Le tout nimbé du brouillard communicationnel de circonstance.

Les émissaires américains tentèrent, dans la nuit du 16 décembre 1990, de pousser *Titid* à renoncer à son élection. Ce qui en dit plus qu'une longue démonstration sur le niveau et la permanence des pressions. L'ambassadeur, un peu plus tard, lui lançait le fameux *aprè bal tanbou lou*. L'avenir sera dur si vous vous obstinez à réformer !

Le putsch du 30 septembre 1991 met la menace à exécution. Il fait coup double : élimine un réformateur incontrôlable et disperse les cadres d'un puissant réseau associatif et politique. Le mouvement social est placé sous la terreur ; l'émigration de ses cadres vers les États-Unis sera même favorisée. On a coupé l'arbre, en prenant soin de supprimer les racines. On s'est assuré que rien ne repousserait avant longtemps.

Le coup d'État fait pourtant mauvais effet dans l'hémisphère. Politiquement incorrect ! Washington le condamne en même temps qu'il rend l'embargo inefficace. Les réformateurs auront compris qu'une ligne rouge marque l'étroite limite des changements autorisés. Ils pourront méditer pendant trois ans. Peut-être, sans la pression internationale et la brutalité de soudards infréquentables, seraient-ils restés isolés plus longtemps. La junte, incapable de donner le change, c'est-à-dire de donner aux libertés le début d'une apparence, nuit à l'image des États-Unis.

L'intervention américaine de 1994, promenade militaire, mais utile succès de politique étrangère, conforte la réputation de Clinton. Cadeau aux Noirs et aux humanistes, elle vise surtout à remettre Haïti aux normes, président inclus. Celui-ci aura compris, en trois ans d'exil et d'angoisse, l'existence des frontières politiques qu'on ne franchit qu'à haut risque : pas touche à l'organisation des classes sociales ! Il devra composer avec les traditionnels amis locaux des États-Unis. Il devra se souvenir à qui il doit son retour.

Piètre économiste, il se concentre sur les problèmes de sécurité. Supprime l'armée faiseuse de coups d'État, contre l'avis des Américains. *Titid* assure-t-il l'avenir d'Haïti, ou Aristide prépare-t-il déjà le sien propre ? Il joue, pour une fois, des contradictions internes de ses parrains. Mais les États-Unis ne lâchent pas le bras armé qui pourrait toujours leur être utile : ils recyclent une partie de la défunte armée et noyautent la nouvelle police.

Heureux hasard pour ceux qui voudraient ancrer le changement : aucun texte législatif n'organise l'amnistie. Les putschistes la souhaitent, évidemment. L'oncle Sam aussi, pour mettre à l'abri les traces de son rôle ambigu, ses connexions multiples avec l'état-major ou sa collaboration avec la délinquance financière. Il n'a cessé de contourner, à son seul profit, les règles élastiques définissant l'embargo. Jamais il n'a pressé la Dominicanie voisine de les appliquer.

Derrière le discours sur la nécessaire réforme de la justice, les États-Unis organisent donc l'impunité. Font libérer à leur gré leurs amis. Informent au préalable les gros poissons qui risquent l'arrestation. Élargissent les *attachés*. Se saisissent des archives du FRAPH ou de l'ex-armée. Mettent au placard la commission Justice et Vérité. Refusent d'extrader Toto Constant et Jobel Chamblain, les chefs des paramilitaires. Assurent la quiétude des dirigeants de la junte à Panama et en Dominicanie. Protègent même leurs propriétés de Port-au-Prince. Des dealers ou des tueurs, comme ceux du ministre de la Justice Guy Malary, sont subrepticement extraits de leurs geôles.

S'ajoutent les diktats économiques et l'arrogance dans tous les domaines : les États-Unis tentent de réinstaller la république bananière.

Ils ne sont pourtant pas les seuls intervenants. L'ONU offre un autre visage, qui rompt avec la tradition de soutien indulgent aux pires dictatures. Avec sept mille soldats et gendarmes, elle s'implique dans la sécurité, la formation de la police, l'éducation aux droits de l'homme. Parfois même dans l'humanitaire et le génie civil.

Plusieurs années durant, elle quadrille le pays. La Minuha et ses différentes composantes tente d'ancrer l'État de droit. Au bout d'un an, les améliorations sont sensibles, une certaine sérénité retrouvée. Mais l'ONU n'a pas les mêmes intérêts immédiats, les pays engagés sous sa bannière non plus : France, Venezuela, Canada, Union européenne... États-Unis ! Elle s'entête parfois, notamment en ce qui concerne police et justice. La lutte est continuelle avec les représentants américains. Discrète et multiforme, l'attitude de Washington bloque la reconstruction, dévoie les réformes de structures, fragilise la confiance.

De l'oncle Sam et de l'ONU, chacun présume qui jouera le plus longtemps sa partition. L'un, voisin, réside à côté pour l'éternité. L'autre, comme tout expatrié, finira par rentrer chez lui. *Pèp analfabèt pa bèt*. Aristide non plus. Les Américains ont donné en quelques années une magistrale leçon à tous : la loi, c'est toujours la loi du plus fort ; la société haïtienne, c'est l'élite qui l'a toujours dirigée. La justice, au sens où l'entendent les Haïtiens, c'est-à-dire la demande de justice, c'est pour après-demain, pas pour hier. À condition qu'un certain nombre de conditions soient remplies. La mémoire ? Les Américains la souhaitent dans les discours, mais la pourchassent sur le terrain. Ils l'enterrent. Ils n'en veulent surtout pas. Le nouvel ordre international ressemble à l'ancien.

Dans un pays où la démocratie est un concept inconnu, où son acclimatation sera de toute façon difficile, les pratiques yankees offrent donc un modèle. Et proposent une éducation civique qui confond le concept avec son dévoiement. Le pragmatisme anglo-saxon, le réalisme tant vantés confinent au pur cynisme.

L'ordre haïtien va pouvoir se remettre en ordre. La leçon est comprise. L'ersatz préconisé encourage le retour à la vieille Haïti mentale, l'Haïti inconstituée, l'Haïti où les domestiques ne peuvent obtenir ni espérer les mêmes droits que leurs maîtres. Le retour d'Aristide, pour les instructeurs qui le ramènent et prétendent continuer à le formater, signifie qu'il est pour eux le seul capable de contrôler les masses, de récupérer ou de marginaliser leurs organisations de base, de contenir les réflexes de classe ou le déferlement des frêles esquifs vers la Floride.

Aristide aurait pu jouer ONU contre États-Unis, ou ONU *et* États-Unis, mettre à profit les divergences de projets. Comme ses lointains prédécesseurs qui usaient de la concurrence entre les deux anciens occupants, la France et les États-Unis. Pari risqué : les deux coqs ne sont pas de force égale. Aristide veut durer, il ne fait pas ce pari, lui qui doit pourtant beaucoup à l'ONU. Préval hésite. Malgré la rare persévérance de l'institution internationale.

Le nationalisme des gouvernants haïtiens pousse au retrait des troupes étrangères. Qui gênaient-elles ? Le cartel de Cali, la nouvelle nomenklatura pressée de trafiquer et de corrompre sans contrôle, les tyranneaux de village ou de quartier freinés dans leur propension aux abus de pouvoir ? L'ONU, longtemps présente, fait semblant de considérer son travail comme achevé et l'État de droit sur les rails. Les observateurs, pourtant, savent bien que les nouvelles habitudes sont fragiles et les institutions instables. On laisse en arrière-garde quelques vigiles. On enverra quelques rapporteurs pour s'assurer... que le changement ne l'a finalement pas emporté sur la continuité.

Une certitude : l'ONU avait une bonne raison politique et humanitaire pour venir, en 1995, relayer les Américains. Des années après, comment justifierait-elle auprès de ses mandants un retour massif ? Tant d'autres États réclament son intervention, pendant ou après les guerres. Guerres de haute intensité celles-là.

Personne n'est dupe. L'ONU pouvait-elle vexer des Haïtiens en requérant une ingérence plus longue ? Indisposer les États membres par une présence coûteuse aux résultats lents ? Quelques-uns ont souhaité un maintien prolongé, regrettant ensuite la pusillanimité et l'incohérence des Occidentaux qui ont trop tôt *laissé* le pays. Selon ses intérêts et ses remords, sa bonne ou sa mauvaise foi, chaque État, depuis, ferme ou ouvre les yeux. Parfois les gros yeux.

La leçon américaine, Aristide l'a souvent entendue. Il l'a comprise. Il a fini par l'adopter. Dès 1995 ? Plus tard en préparant son retour ? La volonté de rester ou de revenir au pouvoir, comme le renoncement à amender la société haïtienne, le prépare lentement à ressembler à ses devanciers. Il ferme les yeux sur la corruption, se rapproche des élites, rend même leur place à quelques anciens duvaliéristes. Alors que sa popularité autorisait un minimum de résistance aux pesanteurs américaines ou haïtiennes. *Lavalas* promettait de changer l'État. Il s'agit maintenant de restaurer l'autorité de l'État. Celui qui, depuis la colonie, sert la minorité. Avec l'onction du *blan*.

L'impunité, contre laquelle *Titid* s'est déchaîné, cède à la réconciliation. Exit *jistis*. Aristide renie la nouvelle page d'histoire écrite dix ans plus tôt et prend le parti de l'amnésie. Il se fait à son tour manipulateur ou escamoteur d'histoire. Homme de la déchirure, mais pas celle qu'on espérait.

Assurant l'ordre, l'ancien fauteur de désordre paraît enfin jouer le rôle que l'Américain attend. Il entretient à Washington un lobby dispendieux. Et laisse en déshérence le reste de sa relation au monde. Il s'enferre, ce faisant, dans un tête-à-tête désespérant. Qui encourage la propension de Washington à se considérer comme arbitre unique.

Dommage : *Titid* avait drainé un capital de sympathie qu'Aristide dilapide. La sympathie console plus qu'elle ne nourrit. Mais l'opinion publique internationale, qui contribue aux réputations, discernait pour la première fois un chef d'État et un peuple au diapason. Elle appelait les gouvernants à l'aide, eux qui avaient été si prodigues en faveur des satrapes haïtiens. En 1994 comme en 1991, la solidarité s'organisait, bien au-delà des ambassadeurs et des politiciens étrangers. Aristide, finalement, a choisi le costume sombre et le partenaire obligé. La longévité, la sécurité pour lui, à défaut de l'offrir à son peuple.

Soyons donc réalistes, jouons la démocratie bornée aux apparences et jouissons d'une souveraineté personnelle, même limitée ! C'est le fond qui compte le moins. Les apparences, c'est tellement important, aussi bien pour les Américains que pour les Haïtiens. Mais Aristide ne l'a peut-être pas compris : il ne s'agit pas, en 2001 ou en 2004, de part et d'autre de la Caraïbe, des mêmes apparences.

Les apparences, ce sont aussi les formes. Et d'abord celles des institutions. Les carences haïtiennes, la « crise », comme on l'appelle, exaspèrent les Américains et les autres davantage encore. D'autant que le passage de Clinton, « protecteur » d'Aristide, à Bush junior, hostile à l'intervention de 1994, alourdit le climat.

Pas de gouvernement, pas d'assemblée, des élections douteuses, une séparation des pouvoirs aléatoire : le gel des crédits met Haïti sous embargo. La « communauté internationale » punit le peuple haïtien en croyant frapper l'exécutif *lavalassien*. L'OEA et l'administration républicaine, experte en élections incontestables, donnent le *la*. Les autres n'ont pas de politique, ils s'alignent sur l'OEA, tellement indépendante de Washington qu'elle a son siège à deux pas de la Maison Blanche.

Marché de dupes pour Aristide : abandonnant son programme de lutte contre les inégalités, il se fait garde-chiourme des hérauts de la mondialisation libérale. Son autorité, indéniable auprès des plus déshérités, s'effrite, devient autoritarisme et arbitraire. Le président pouvait être, en 1994 ou en 2001, le chef d'État qui assure la rupture ou la transition. Il n'est qu'un hiérarque de plus dans une succession où les militaires le disputent aux ploutocrates. Malchanceux de surcroît. D'habitude, après un an d'admonestation des arbitres et de vague repentance des coupables, on amnistie la triche et on rouvre les robinets financiers. Selon que vous êtes utile ou non, que vous existez ou pas...

La communauté internationale peut s'habituer aux tyrans pétroliers ou stratégiques d'Arabie Saoudite ou du Pakistan, mais ne supporte pas les tyranneaux sans devises et sans pétrole. Ceux-là, elle les livre en pâture à l'opinion internationale. Leur coupe les vivres. Et les rend méchants. Ce qui ne lui coûte rien. Le peuple, habitué par deux siècles de quarantaine, paie l'addition. *Cash*.

Le régime, mis au pain sec, n'a rien à distribuer. Sinon des coups de bâton à ceux qui se souviennent des exigences originelles. Aussi le contrôle de la police devient-il un enjeu crucial.

Certes, l'ONU fera la charité, mais, une fois de plus, États-Unis et France en tête, on sera sans pitié. Au mieux prêtera-t-on des diplomates et des conseils. Que la classe politique appellera ou écoutera, renforçant sa dépendance, congénitale ou psychotique, à l'égard de l'étranger. *Se blan ki deside*. Au cas où l'étranger l'aurait oublié, il y a toujours un bon élève haïtien pour le lui rappeler. Pour les élites, politique ou économique, l'appel à l'étranger, ou son soutien, donne force au paternalisme. Il adoube. Confère un surcroît de légitimité. Pour la classe politique, être manipulé par le *blan* signifie déjà un semblant de reconnaissance : le sentiment d'exister... La moindre bénédiction du nonce apostolique, les déclarations d'un obscur de l'OEA, le premier pet de travers de l'ambassadeur américain mettent en branle les conjoncturistes.

L'Occident donne à l'envi ses leçons de justice aux Haïtiens. Il interdit qu'on poursuive les criminels, cache les pièces à conviction et élargit les prisonniers amis. Il juge sans appel le pouvoir qui met en application ces recettes-là, celles des Américains et d'autres, plutôt que les insipides cours magistraux, mais condamne les Haïtiens à la ruine, à l'absolu dénuement : assèchement des crédits et des capitaux, donc de tous programmes sociaux, prélèvement de la matière grise. Chefs de la police, magistrats ou journalistes : l'Occident accueille ceux qu'il a incités à la défense des droits de l'homme, au risque de leur vie, et qu'il se garde de défendre sur place. Quant aux autres, on observe, on se montre, comme disent les diplomates, « vigilant ».

À quelques kilomètres des ghettos huppés d'altitude, un autre laboratoire : celui de la piétaille, démunie de tout, dont on scrute sereinement l'agonie. Depuis les hauteurs de Pétion-Ville ou de Washington. Avec la même condescendante bonne conscience. Les mêmes observateurs arbitres, qui se prennent pour de vrais scientifiques, posent les questions, instruisent les procès de la mauvaise gouvernance et offrent les réponses.

Sans proposer la moindre stratégie alternative. À l'égard des victimes, tellement habituées à leur rôle. À l'égard du pouvoir haïtien qui ne les gêne pas vraiment, tant que les égouts de la désolation ne polluent pas le voisinage.

Le distinguo s'impose pourtant entre les États-Unis et les autres. L'oncle Sam, qui a tant d'autres chats à fouetter, passerait volontiers l'éponge. Contre de nouvelles élections législatives capables de sauver les apparences. Moyennant l'élimination des obstacles trop visibles à une vie politique tranquille. Se débarrasser des chefs d'OP les plus dérangeants serait une preuve de bonne volonté...

L'ONU, même absente, risque de déranger, par ses rapports sans ambiguïté. Ainsi se conclut à Port-au-Prince, le 5 novembre 2003, la conférence de presse de l'expert indépendant nommé par Kofi Annan : « La situation est grave, très grave. Elle risque de devenir gravissime. » Louis Joinet dénonce le harcèlement contre les cadres de la police qui quittent leurs fonctions, témoins de « promotions fulgurantes » ou auteurs de « missions que leur conscience réprouve », les juges « écartés, marginalisés, neutralisés », les militants « criminalisés, qualifiés de terroristes (...) les victimes qui vous disent, non monsieur l'expert, je ne porterai pas plainte car, dans ma cité, être victime c'est déjà être coupable ». À tous les auteurs de violations, je rappellerai ceci : « Les temps changent. Il existe désormais une justice internationale. Qu'ils se méfient avant qu'il ne soit trop tard... »

Tutelle, mise sous tutelle, murmure-t-on ici et là, à propos de l'ancienne Saint-Domingue. Elle n'a jamais cessé, la surveillance-protection-dépendance ! Mais si le riz américain arrivait à Cité-Soleil plutôt que dans les coffres des voitures de fonction des sénateurs, pourquoi pas ? Si les profits de la téléphonie mobile permettaient d'installer une ligne par village ? Si des infirmières étaient envoyées dans les dispensaires du Plateau central grâce aux fonds bloqués par la Banque interaméricaine de développement ? Si le chef de la police était protégé par ceux qui l'ont imposé au régime ? Si les dépenses de l'État étaient sous contrôle ? Si la démocratie ne se bornait pas à des élections répétées, recommencées et à refaire ? Le référendum serait massivement positif, l'intervention onusienne plébiscitée.

Haïti est une terre sinistrée. Habitée par des agonisants. À qui les médecins proposent l'abstinence ou la saignée. Et les magistrats l'enfermement. Des remèdes déjà en vogue au temps des premiers pas de la colonie. Se posent-ils parfois la question, les anciens et les nouveaux colonisateurs, les maîtres chanteurs, vrais et faux amis d'Haïti, de la note de frais à envoyer tout bonnement à ceux qui ont agressé le pays, qui l'ont fait ce qu'il est ? À s'adresser à eux-mêmes : propriétaires, proconsuls, occupants, corrupteurs, racketteurs, usuriers, preneurs d'otages, assiégeants ou incendiaires. Saigneurs de tout poil. Qui font juste assez pour maintenir le malade en vie, mais rien pour faire crever l'accès.

Le moins pingre, l'Union européenne, attribue à chacune de ses vaches neuf cent treize dollars par an. Elle en consacre royalement huit à chacun des habitants des PMA, les pays les moins avancés. Beaucoup mieux que le Japon, pour qui une vache nationale vaut mille huit cents gueux. Les Haïtiens manquent sûrement d'une vision de l'avenir. L'Occident est, lui, bien cramponné à la sienne. Bien loin de ses discours « civilisateurs ». Quelque chose de changé depuis Jules Ferry et Theodore Roosevelt ?

Des « spécialistes » en économie ont dressé dans *Le Nouvelliste*, principal quotidien haïtien, le panorama d'Haïti en 2004 : « Industries locales en faillite, commerce en déconfiture, agriculture ruinée, fuite des investissements locaux en raison de l'insécurité et de la violence, mise à l'écart du pays par la communauté internationale. »

Selon le dernier le rapport annuel du PNUD (Programme des Nations unies pour le développement), Haïti appartient, bien sûr, aux cinquante-quatre pays appauvris en une décennie. L'effondrement la place même dans le premier décile. Au rythme actuel, la dernière gamine ira à l'école vers 2204. Le niveau de scolarisation aura alors atteint 100 %. Pour les maladies endémiques, progressera-t-on plus vite ? À court terme, le nombre de victimes du paludisme et du sida augmentera. Surtout avec un État en l'état.

La Guyane, au nord du Brésil, est ce qu'on appelle un département français d'outre-mer. Le plus multiculturel qui soit. On y parle une quinzaine de langues. L'école, bien sûr, se fait en français. Dans un lycée de Saint-Laurent-du-Maroni, à deux pas de l'ancien bagne, une enseignante demande à la classe, un jour de février 2001 :

– Qui est haïtien ?

Des épaules hésitent à se soulever. Finalement, pas une main ne se lève. La professeure se doute bien que, parmi les élèves noirs, beaucoup sont haïtiens. Ils forment le quart de la population de la Guyane française ! La plus forte proportion d'Haïtiens sur une terre étrangère !

Un mois plus tard, elle explique que le prochain Salon du livre de Cayenne, en mai, a choisi Haïti comme invité d'honneur. Honneur mérité par la qualité de la peinture connue du monde entier, par la diversité d'une littérature dont les jeunes talents sont invités. De ce pays, si riche en artistes et en écrivains, vont venir des hommes et des femmes. L'un d'eux au lycée même, à propos d'une œuvre dont on commence l'étude aujourd'hui. À tout hasard, elle repose la même question :

– Qui est haïtien ?

Sept mains se lèvent. La première occasion en seize ans, pour ces enfants de paysans déracinés, nés ici ou là-bas, de ne pas se cacher. Les parents viennent pour beaucoup de la région d'Aquin, au sud de l'île. Leur complexe d'infériorité, la honte de leurs origines qui grandit à mesure qu'ils se frottent à l'Occident, fût-il guyanais, ils la transmettent à leur progéniture. Ou bien elle se l'approprie. Faisons oublier, oublions que nous venons de l'île maudite, exorcisons cette réputation de misère et de violence !

Être haïtien est en soi-même une calamité. Une éternelle souffrance. Le rappel d'un univers destructeur ou fossilisé. D'un pays qui n'existe pas. Ou si déshumanisé qu'il n'a pas vocation à exister.

Un miroir trompeur apprend à ceux du Sud, parents ou enfants, à « se regarder avec les yeux de ceux qui les méprisent, et les conditionne à accepter comme destin une réalité qui les humilie », comme l'écrit l'écrivain uruguayen Edouardo Galeano. En masquant aux autres son statut de paria, ou en marquant toute la distance possible avec ses origines, peut-on oublier, s'oublier, ou se faire oublier ? Mieux aurait valu qu'Haïti n'existât pas, qu'on s'en vînt de nulle part !

L'échantillon n'est pas représentatif, mais ces lycéens rejetaient la patrie ou l'univers de leurs parents : un rassemblement d'écorchés vifs dans un monde invalide dont ils ignoraient même qu'il pût s'inscrire dans une culture qui ne soit pas seulement domestique et religieuse.

Au pays natal existent donc des artistes, des penseurs ou des écrivains ? Anatole France s'appelle Jacques Stephen Alexis, et Paul Eluard René Depestre. Les naïfs haïtiens, groupe Saint-Soleil ou autre, trouvent des admirateurs dans le monde entier. Il ne s'agit plus de l'histoire glorieuse, mais ancienne et confite, déconnectée des réalités et contredite par les convulsions ultérieures. Cette Haïti retrouvée mérite d'être tentée, dite, vécue. Elle est enfin positive. Ce n'est pas la fin de la honte, mais le début du questionnement et d'une possible adhésion. Adhérer à quelque chose, faire partie de... Être, quelque part, inclus. L'haïtianité pourrait d'autant plus exister que tant de citoyens, présents ou à venir, la cherchent.

Paradigme de l'aliénation des hommes, de leur appauvrissement continuel, de la destruction des paysages et des liens sociaux par un système colonial qui a su perdurer, Haïti paraît parfois fatiguée de ce vertige, fascinée par le suicide. L'attirance du vide ! Comme si elle acceptait la malédiction, celle de potentats qui la mènent au suicide collectif ou de thaumaturges qui ne guérissent pas longtemps des écrouelles, et qui finissent par mépriser le peuple de galeux reçu en héritage. Mais les schémas et les symboles enfoncés dans les têtes peuvent en sortir, y être altérés, rafraîchis, tordus. Refondés.

Changer le monde intérieur de chacun pour aborder celui des relations sociales !

Il faut sans doute plus qu'un anniversaire, mais moins d'un lustre, pour dresser un état des lieux de l'intégrisme, de la solitude et de la violence. Le macoutisme, totalitarisme du pauvre, définit la politique, ou ce qui en tient lieu, comme un perpétuel règlement de comptes. On ne le répétera pas assez : plus encore que dans la famille ou dans la rue, la violence est dans les têtes. Elle est l'alliée privilégiée de tous les pouvoirs. Chercher la paix, accepter l'autre, différent, créer les conditions d'accès à un peu de sérénité, c'est déjà commencer à comprendre cette violence, structurante pendant la Révolution, structurelle depuis deux siècles d'immobilisation.

C'est Gilles Danroc[1], théologien et sociologue, qui nous rappelle les limites de l'apport occidental : savoir être est aussi important que savoir ou savoir faire. Un peu d'humilité du Blanc favoriserait les échanges interculturels, qui ne sont pas exclusivement des rapports de force ou d'argent. Privilégier le comment faire. Poursuivre le travail engagé par une théologie de la libération dégagée de toute connexion avec les pouvoirs politique, économique et... théologique. Et qui répétait la question : pourquoi sont-ils pauvres, pourquoi ? Comment faire face, ensemble ?

Ensemble, ils avaient choisi, il y a deux siècles, d'être pauvres. Pauvres, dignes et égaux. « Haïti a pris une voie diamétralement opposée au développement », déclarait, en 2003, Thabo M'Beki, le président sud-africain. Contrarié par les élites, ce modèle paysan d'une autarcie librement choisie n'a jamais pu se développer dans l'harmonie. Quand les campagnes s'anémient, quand l'exode rural s'accélère (une majorité urbaine après 2010 ?), quand les moyens d'information s'élargissent, le vieux rêve n'est plus à l'ordre du jour. Ce projet-là, porté par les communautés et les syndicats paysans, a échoué. Économiquement.

S'il n'est plus une alternative globale, il porte, avec les OP restées fidèles à leurs idéaux, avec la jeunesse scolarisée, une capacité d'autonomie du mouvement social. Cette autonomie seule peut contraindre le politique à abandonner ses registres de l'anathème, du slogan, du vol ou de la brutalité. Lui

1. *In* Brigades de paix internationales, *Expériences non violentes en Haïti*, Paris, Karthala, 2001.

ôter cette utilisation de la complot-manie, ou de l'union qui seule ferait la force... toujours au profit du clan en place.

Aider l'en bas. Bien au-delà de l'humanitaire. Ce sont les structures locales et citoyennes qu'il faut soutenir, c'est aux contre-pouvoirs qu'il faut donner des moyens. L'aide internationale, commodément bloquée par des prêteurs hypocrites, aurait pu partiellement servir à cela. Les associations communautaires, les syndicats, les associations de défense des droits de l'homme, celles du développement durable ou de la reconstruction écologique, il faut les vivifier !

À l'exemple de la presse, quatrième pouvoir, le contrôle doit se généraliser. La multiplication de maisons des associations qui donnent une permanence à tous les réseaux, la formation de citoyens capables de contrôler budgets, élus et administrations sont aussi importantes que la distribution de riz ou les campagnes de vaccinations. Pour que les aliments soient équitablement répartis. Pour plus d'efficacité à la médecine communautaire. Pour retenir et partager l'eau. Pour que les priorités soient définies par les plus concernés. Pour surveiller collectivement les rapaces qui planent autour de la moindre liasse de dollars.

La démocratie sera participative ou simulacre. Un pari difficile puisque Yankees et élite réunis ont depuis longtemps fait leur choix. On ne peut que souhaiter une classe politique moins obscène que celle qui se dispute le pouvoir. Renouvelée après 1986, elle a fait ses preuves. Dans sa grande majorité, elle est à jeter. Son incompétence, sa désinvolture, sa bassesse, son cynisme s'étendent des Chambres aux élus locaux, prompts à se faire chefs de section, petits potentats exerçant prélèvement sur tout ce qui passe, droit de vengeance, de cuissage, parfois de vie ou de mort.

Des politiciens différents ne peuvent jaillir que sous le contrôle d'un mouvement social autonome, puissant, mature et protégé. Cela prendra du temps. On l'a vu : quand la démocratie n'a jamais existé, les transitions sont laborieuses. La focalisation sur les élections à venir, celles qui vont tout résoudre, apporteront d'autres désillusions, si le citoyen se réduit à l'électeur. Un rôle indispensable, mais insuffisant.

En attendant, la priorité, c'est l'en bas. À qui on donnerait les moyens d'avoir à l'œil les hiérarques d'en haut. Pas de crédit sans droit de regard ! Pas d'exaction sans sanction ! La priorité de la transparence accompagne nécessairement la place décisive accordée au mouvement social. Et au social tout court qui, ainsi défini, s'oppose au paternalisme et à la charité.

Le FMI et la Banque mondiale ont d'autres objectifs qu'un État stratège, un État sous contrôle. Il ne se créera que grâce à des citoyens munis de ces droits réels qui vont bien au-delà du bulletin de vote. Construire des fondations, ce n'est pas seulement voter, sortir les sortants, c'est libérer les bâtisseurs, généraliser le vaccin antipeur, antichef, antimacoute. Retrouver l'esprit rebelle, développer l'irrespect, individuel ou collectif, à l'égard de l'autorité illégitime. Et le respect des autres. Faire entrer dans les têtes que le complet veston sombre ne fait ni l'homme ni la réputation. L'école, le dispensaire et la radio devront bien sûr apporter un concours majeur, mais l'essentiel est d'enclencher l'inversion.

Inverser. Rompre le pacte colonial, privilégier la lutte contre la misère morale, changer la verticalité de sens. Que le pouvoir, exclusivement envisagé comme le pouvoir de donner des ordres, devienne aussi celui de demander des comptes !

Donner du sens. Le peuple indigène, plus que des terres, réclame maintenant des droits. Ici les droits n'ont pas été confisqués par les envahisseurs, comme les descendants des Castillans l'ont fait au Chiapas ou ailleurs. Les maîtres, arrivés en même temps que les esclaves, les ont monopolisés à leur profit. Se considérant comme des nobles qui commandent naturellement aux ignobles ou aux ignares. La formidable énergie déployée pour détruire la dictature s'est nourrie de cette mise à l'index et d'une irrépressible exigence de justice. Mais, manque d'expérience, croyance qu'il suffisait de déléguer l'un des siens, coup d'État sanglant ? L'énergie solidaire n'a pas trouvé à s'employer.

L'État est redevenu ce qu'il était. Ceux qui ne s'y plient pas renouvelleront-ils les mêmes erreurs ? Ils se sont mis en marche. Les mouvements récents portent aussi l'exigence de liberté et de solidarité. À quelques nuances près. Les étudiants, les éduqués sans débouchés, les journalistes, tous citadins, fondent leur demande sur les modèles de démocratie occidentaux, à prendre tels quels ou à perfectionner. Ils s'inscrivent dans la mondialisation, libérale ou alternative. Leur plus grande ouverture au monde isole ou dérange le pouvoir.

Aristide 2004, même s'il tentait un coup de force pour prolonger son mandat, représente l'Haïti coupée du monde, l'Haïti archaïque. La reproduction-prolongation du système, qu'il tente, est hasardeuse. Quand se délitent presque tous les soutiens extérieurs, quand les coffres sont vides et les flibustiers au chômage technique, pas facile de tenir... Sauf à accentuer la répression, à brouiller les ondes des radios, à protéger des fiefs électoraux, à renvoyer au marronnage des opposants qui n'ont pas l'intention de s'y contraindre.

Malgré le fatalisme qui se nourrit de toutes les frustrations, les racines de la rébellion ne sont pas coupées. Le passé a certes été volé, la rupture *lavalassienne* de 1991 stoppée, puis détournée. *Lavalas* brisait le passé. Rien ne garantit un ciel serein après les orages qui s'annoncent. Il s'agit de rompre avec le présent. La « société civile » sait mieux ce qu'elle rejette que ce qu'elle appelle. L'absence d'homme providentiel donne une chance à ceux, plus nombreux et plus désintéressés qu'il n'y paraît, qui travaillent à un projet, qui sont déjà au cœur de la résistance.

Haïti a été discréditée ? Haïti s'est discréditée ? À voir le pouvoir utiliser la police, la justice, la menace ou le dilatoire, entraver le mouvement social, quadriller les bidonvilles, mais être incapable d'y donner l'eau et le pain, la violence paraît inévitable. Les syndicats, coopératives, associations de défense ou de survie apparaissent généralement brouillons, éparpillés ou chétifs, voire divisés. Mais, une jeunesse radicalisée, d'imprévisibles faims de riz et de justice, un embargo plus insupportable encore peuvent les pousser, les propulser, au-delà des prévisions.

Ceux qui dominent le monde s'attachent à nous faire croire qu'il n'y a pas de choix, sinon le leur. Ils ont un modèle économique, un lycée français pour former les élites, une ambassade américaine qui dit le bien, une nonciature qui appelle à la concorde. Ils souhaitent des apparences qui ne contredisent pas l'image qu'ils tiennent à donner d'eux-mêmes. Aristide et son clan n'offrent pas cette garantie.

L'histoire, dans un pays singulier, n'est pourtant pas écrite d'avance. Jusqu'où la patience ? Le succès des théologies de la résignation ? Les citoyens mutilés qui n'ont que des devoirs envers l'État qui n'en a pas ? Est-il encore possible de fonder une nation sur le territoire libéré par Toussaint-Louverture ? De donner une existence à un peuple transplanté, qui ne cumulerait pas seulement, de l'Afrique et de l'Amérique, les inconvénients ? Qui n'assumerait pas seul les conséquences de l'incommensurable enrichissement des deux rives de l'Atlantique Nord ?

En 2001, la conférence de Durban a qualifié l'esclavage de crime contre l'humanité. Et quand le racket ou la quarantaine prolongent ce crime, comment cela se nomme-t-il ? Quand la servitude se perpétue, avec les enfants, les *braceros* ou les domestiques, quand l'État supporte ou maintient une société et une économie *restavek*, quelle justification invoquer ? Dans les deux cas, quelle sanction ? Prescription ? Ingérence ? Réparation ?

Dieu a, dit-on, donné une horloge aux Suisses et le temps aux Africains. Pas plus que l'Afrique, Haïti n'a le temps. À laisser s'installer l'idée que demain sera pire qu'hier, que la dégénérescence est inscrite, inévitable, à y mêler le châtiment divin, on renforce la production d'inhumain, on se rapproche de l'autodestruction.

Sur la liste des quarante-cinq PMA, les pays les moins avancés, Haïti est de ceux qui cumulent tous les facteurs de risque et de blocage, tous les handicaps. Trois exemples seulement : la solidarité y est au plus bas quand la population est la plus dense ; les inégalités atteignent un niveau maximal (1 % de la population détient la moitié des richesses) ; les fractures issues de la transplantation du XVIIIe siècle restent autant de plaies ouvertes sur lesquelles on jette du sel ou on frotte du jus de citron vert.

L'arrogance, le mépris, l'insolence économique et sociale mènent à la revanche sociale. Faute de définir collectivement un compromis historique et de rechercher une modernité pour Haïti, on est sûr de l'affrontement. Ceux des châteaux et des casernes en ont toujours été préservés par l'État, l'haïtien ou d'autres. Et souvent par les Églises. Le père Antoine Adrien, militant de la libération, inspirateur majeur de la lutte contre le macoutisme, conteur et analyste infatigable, qui médite au paradis l'incroyable gâchis, nous le répétait : faute d'utiliser ce temps compté, on n'empêchera pas une grosse révolte.

Un nouvel accès de violence ? Avec ou sans lendemain ? Une révolution ? Contre les privilégiés ? Les Américains ne pensaient pas différemment, quand, débarquant à Port-au-Prince en 1994, ils étirèrent un épais et inutile cordon de troupes protégeant les quartiers riches. Dix ans après, la violence est toujours là. Structurelle. Considérée comme normale, puisque au détriment des mêmes. Ceux qui occupent un univers qui n'existe pas. Ou pas encore.

Autant que de patates douces, le peuple a besoin de reconnaissance et de dignité. Aristide et *Lavalas* l'avaient compris, qui avaient juré, de bonne foi, la sortie de l'inhumanité. Avant que le président ne chausse les souliers cirés de ses devanciers et n'écarte la nécessaire refonte de l'imaginaire social, qu'il avait entamée.

Si nèg anwo mové, nég anba mechan, pa rete chita, monte. On moque les « grands mangeurs », ceux qui ont plus d'appétit que d'autres, on chante ou on scande ces mots-là pendant le carnaval, une semaine parfois à haut risque : si les gens d'en haut sont mauvais, ceux d'en bas vont devenir méchants, ils ne resteront pas assis, ils vont monter.

Est-ce nécessaire pour qu'Haïti existe ?

TABLE DES MATIÈRES

Achevé d'imprimer en février 2004 par l'imprimerie Corlet
à Condé-sur-Noireau (Calvados), France - N° 76416
pour le compte des Éditions Autrement,
77, rue du Faubourg-Saint-Antoine, 75011 Paris
Précédent dépôt : janvier 2004. Dépôt légal : février 2004. ISBN : 2-7467-0432-3.